女子高生コンクリート詰め殺人事件

佐瀬 稔

草思社文庫

＊本書は、一九九〇年に当社より刊行した『うちの子が、なぜ！』を改題し、文庫化したものです。

女子高生コンクリート詰め殺人事件——目次

四少年のプロフィール（名前はいずれも仮名）

■一夫　昭和45年4月生まれ。父は会社員、母はピアノ教師。妹1人。61年、柔道の腕前を買われ、私立高校に推薦入学したが、柔道部でいじめにあい挫折。1年3学期で中退する。62年3月から翌年8月まで、タイル工として働いたのち退職。銀座にシマを持つ露店の生花商でアルバイト。組事務所の当番勤務などもつとめる。母校の中学校校舎に乱入して窓ガラスを割るなどして補導され「保護観察処分」ほかの前歴を持つ。本件のリーダー格。一審の判決は懲役17年（求刑は無期懲役）。控訴審判決は20年、刑が確定。

■次郎　昭和46年5月生まれ。姉1人。小学校3年のとき、両親が離婚。クラブ・ホステス、スナック経営などで働く母親の手で育てられた。中学校で、一夫の1年後輩。62年、私立高に進学したが、1年の2学期に退学。2か月間ほど、定時制高校に通学しつつ、配線工などを転々。63年秋から生花商でアルバイト。バイク無免許運転で補導され「保護観察処分」を受ける。サブ・リーダー格。一審判決は懲役5年以上10年以下（懲役13年）。平成2年8月、控訴。平成3年7月、確定。

■三雄　昭和47年12月生まれ。父は病院事務長、母は同じ病院の看護婦。兄1人。中学校で一夫の2年後輩。63年、工業高に進学したが、1年2学期で中退。定職につかぬまま事件を起こし、自宅2階の自室が少女の監禁場所となる。バイク無免許運転で「保護観察処分」の前歴を持つ。一審判決は懲役4年以上6年以下（懲役5年以上10年以下）。平成2年8月、控訴。5年以上9年以下で確定。

■司郎　昭和46年12月生まれ。姉1人。5歳のとき、両親が離婚。スーパーで働く母親に育てられる。父親はのち交通事故死。中学校で一夫の1年後輩。62年、工業高に入ったがすぐ中退。ウェーター、空調設備作業員など職を転々。自宅のガラス窓を割るなどして暴れたため「保護観察処分」を受ける。一審判決は懲役3年以上4年以下（懲役5年以上10年以下）。二審で5年以上7年以下。

＊補足　平成23（2011）年現在、本件については4人とも懲役を終えて出所している。次郎については平成16（2004）年に監禁傷害事件を起こし、懲役4年の刑が確定。その後、出所したものと思われる。

《以下のページで扱われるのは、今世紀のあちらこちらで見いだされる不条理な感性である——不条理な哲学ではない、はっきり言ってぼくらの時代はまだそれを知らないのだ》

（アルベール・カミュ『シーシュポスの神話』清水徹訳）

プロローグ

平成元年三月二十九日、東京・足立区の綾瀬警察署から、二人の捜査官が練馬の少年鑑別所に足を運んだ。鑑別所には、両捜査官が同年一月、強姦などの容疑で取り調べ、家庭裁判所に送った少年、一夫、次郎の二人が収容されている。女子高校生を四十日間にわたって監禁し、死にいたらしめた事件は、このとき、まだ発覚していない。鑑別所送りとなった強姦などの事件については、すでに調べが終わっていた。なのになぜ、捜査官は鑑別所へ行ったのか。のち、捜査官のうちの一人は法廷で証言に立ち、次のように供述した。

裁判官「少年鑑別所に行った理由ですが、これは窃盗の余罪を調べるためという目的だったのですか」

証人「本来はそれなんです。その当時、その日に余罪調べをやるということは、もう前々からある程度きまっていたことなんですが（少年が）精神的におかしいようなことを（家庭裁判所の）調査官が……誰が言ったかも私はよくわかりませんが、こういうふうになっているぞと。おかしな、微妙なことを言っていたということで、ちょっとしたことですが、そういったことがありましたので……」

裁判官「彼の審判の予定日は、三月三十日じゃなかったですか。その直前に窃盗の余罪というのは調べるものですか」

証人「この窃盗は、破格なものだったので、そうせざるをえなかったと思います。本人たちがなかなか話してくれなかったり何だりして、ぎりぎりになって吐いたと言いますか、発覚したのが遅かったんですね」

そのころ、二人の少年はひどいありさまになっていた。主犯格とされることになる一夫は、法廷でこうのべた。

裁判官「(強姦容疑で逮捕される前の)一月十二日だけど、きみは自分から言い出して病院に行っているね」

一夫「精神科に行きました」

裁判官「そのときの症状は特別なものだったのか」

一夫「それまでには感じたことがなかったというか、目をつぶると瞼の裏にウジムシとかヘビが這ってて、お前、気が狂っているんじゃないか、と回りの人に言われるように、幻聴とか幻覚があって……」

裁判官「そういう症状は?」

一夫「シンナー吸っていたときに出ていました」

裁判官「このときは、普通にしてても出ていたわけだね」

一夫「はい」

裁判官「シンナーを吸ってないときでもそういう症状が出たというのは、これより前にはなかったのか」

一夫「たぶん、一月の初めくらいからずっと続いていました。外の木が何か話しかけてきたり、手を出してきたり、地震で家が倒れてくる。いろいろなことがあっておっかなくなったので、そのあとは、シンナーをあまり吸わなくなっていました」

同じころ、別室で取り調べられた次郎も、なかば錯乱状態になっている。一夫は、シンナーだけではなく、組の事務所の電話番をやらされていたころ、マリファナにも手を出していたが、次郎はそうしたたぐいのものは一切やっていない。グループのサブ・リーダー格として、三雄や司郎に、

「シンナーだけはやるなよ。先輩（一夫）を見てみろ。ああなったらおしまいだ。絶対にやっちゃあ駄目だぞ」

と言い聞かせていたほどだ。

その次郎が、強姦などの容疑で逮捕され、少年鑑別所に送られる前、すなわち、その年の一月初旬ごろからすっかり調子がおかしくなっていた。

仲間と遊んでいるとき、突然、意味のないことをブツブツと口にする。

「お前、なんか言ったか」

と言われて、返事をしない。黙り込んでしまうが、顔つき、まなざしがゾッとする感じになっている。

少年鑑別所では、夜、しばしばうなされた。よほど悪い夢を見たらしく、目覚めたあとも恐怖の色が容易に消えない。わけのわからないことを口走ったりする。

捜査官が「精神的におかしい」と聞いたのは、そのことだった。

法廷で、裁判官に「窃盗の余罪を調べに行ったのか」と聞かれた捜査官が、ほとんど支離滅裂のことしか答えられなかったのには、現場の警察官特有の事情がある。もちろん、彼らは、その事情についてけっして語ろうとはしない。

前年の十一月十六日、東京・足立区綾瀬のマンションで、銀行員の妻（当時三十六歳）と長男（同七歳）が殺害され、現金数万円が奪われるという事件が起こった。長男はベルトで首を絞められ、母親はタオルでさるぐつわをされ、両手を細ひも、両足をビニールの巻き尺で縛られたうえ、電話のコードで絞殺されるという無残な事件である。

犯人の遺留品や目撃者がなく、捜査は難航した。現場付近に住んでいる不良グループに手当たり次第に見込みをつけてチェックする作業が繰り返されたが、事件が発生して四か月がたったのちも、容疑者らしき者の影さえ発見することができない。「綾瀬母子殺害事件」は手がかりのつかめぬまま、迷宮入りかと思われた。
その末に、本件の強姦事件についてはすでに家庭裁判所に送ってしまった少年二人のところに、審判、つまり裁判の前日、担当の捜査官が出かけて行った。ただし、調べ室に現れた少年に向かって投げられた質問は「余罪の窃盗」のことなどではまったくなかった。
一夫が語る。
裁判官「今度の事件について（捜査官に）話したのは、何日だったか覚えている？」
一夫「三月三十一日か二十九日、あ、二十九日です」
裁判官「逮捕されて二か月くらいたった日に、話してみようかと思ったきっかけ、その気持の変化はどんなところにあった？」
一夫「長くなっちゃうんですが、いいですか？」
裁判官「言いなさい」
一夫「最初に捕まって、再逮捕、再逮捕と何回もされてて、それで（別件の）傷害事件の被害者（この事件のことを知っていた）とかがしゃべっちゃうんじゃないかと思って……あれは何日だったか……それで鑑別所に行ったときに、幻聴・幻覚がひどくて気が狂いそうだったので、自白しようかと思ってたけど、自分だけがやったんじゃなくて、三雄君、司郎君も混じってたんで、鑑別所を出たら自白しようと思ってて……」

裁判官「そういうことを思ってて、なかなか言えない日が悶々と二か月間続いたわけだけど、二か月後に、この日に言ってしまおうと思ったときのようすは？」

一夫「自分の担当刑事さんが鑑別所にきて、自分の顔を見て『お前、人を殺しちゃ駄目じゃないか』と言ったんで、ドキッとして（この事件を知っていたほかの少年らが）言ったんだな、と思って『すみません、殺しました』と言いました……」

ひと声かけたカマが、思いもよらぬ事件にひっかかった。刑法第四十二条に「罪ヲ犯シ未タ官ニ発覚セサル前自首シタル者ハ其刑ヲ減軽スルコトヲ得」とある。一夫のそれが「自首」にあたるかどうかは別にして、平成元年三月二十九日、捜査官が少年鑑別所で耳にしたのは、すでに発覚していた「母子殺し」や窃盗、かっぱらい、強姦のことではなく「未タ官ニ発覚セサル」まったく別の犯罪だった。

途中まで聞いた一夫担当の捜査官は、別室の同僚に連絡する。次郎担当の捜査官は「取り調べを始めて一時間ほどたったころ、連絡を聞いた」とのべているが、一夫の語ったことをぶつけると、次郎の顔色が変わり、とんでもないことをしゃべり始めた。

内容があまりにも凄惨なため、捜査官は「余罪の窃盗」追及に関する調書を取ることもなく、突如として出現した別の事件にかかりきりとなる。

綾瀬署の副署長によれば「強姦などであげた一夫らが、そんなことまでやったのかと初めはわれわれも半信半疑だった」という。

半信半疑のまま、同署の捜査官が両少年の自白を頼りに東京・江東区若洲一五号地の海浜公園整備工場現場空き地に向かう。防犯課長の回想。

「現場に着くと、ひとつだけ、ドラム缶がポツンと転がっている。付近には、タバコの吸殻がいっぱい落ちていた。きっと、あの辺の暴走族があのドラム缶をベンチ代わりにしていたんだよ。近づいてみると、ドラム缶のなかのコンクリの隙間から妙な匂いがする。クレーンでトラックに吊り上げ、持って帰った。

コンクリ入りのドラム缶の解体は翌日、署の車庫で行なった。死後二か月以上もたっていたのに、なかが意外にきれいだったたんで驚いたものだ。コンクリで密閉されていたからだろうね。普通は、ハエがたかって卵を産みつけ、そこからわいたウジが骨だけ残して食ってしまうから、たいへんなものなんだ。

鑑別所に捜査員が行ったのは、彼らが『霊がついている』とか変なことを言っていたこともあるが、窃盗事件も発覚したので、その裏づけをとるのが目的だった」

遺体を解剖した担当医の供述。

「解剖の際、測った体重は四四・六キログラムであった。皮下脂肪の厚さは通常で一・五センチメートルくらいであるが、被害者の場合は一センチメートルとかなり減っていた。たいへんな栄養失調状態だったとも考えられる。

これがすべて、腐敗による減少だけとは考えられない。腐敗による体重の減少は四～五キログラムぐらいと考えられる。以上のようなことから、死亡時の体重は、四八キログラムくらいだったとしてもおかしくないと思う。皮下脂肪が一センチメートルくらいしかなかったので、相当な運動障害があったことはまちがいないが、それから食事をしていなかった期間を推定するのは、なかなか困難である。水さえ飲めば、数日間は生きている。どの程度、食事をとっていなかったか、死体から推定するのは難しいが、関係者の供述によって、三週間くらいほとんど食事をさせていなかったという話がある。それは、信憑性があると思う。

死体の全身に、殴打によるものと見られる浮腫が認められた。外傷性ショックを誘発することは十分考えられる。早期に医療が加えられれば別だが、数時間放置し、措置を行なわないと、外傷性ショック状態に陥っていくわけで、かような場合の受傷者の生存は、だいたい、半日程度までである。本件被害者の場合、最後に暴行を受けた際に、自力で起き上がれない状態だったというのは、ショック状態が出ていたと考えられる。したがって、半日以内に死亡したであろうと推定される。

死因は、外傷性ショックにより意識不明に陥り、胃の内容物を吐瀉して、それによって窒息したと認められるものであって、意識不明、胃の内容物の吐瀉、こういったことも（昭和六十四年一月四日の）最後の暴行の結果が重大である……」

遺体は、前年の昭和六十三年十一月二十五日夜、アルバイト先からの帰宅途中で行方不明となり、家族から捜索願が出されていた十七歳の女子高校生であることが確認された。遺体がひどく痛んでいたため、外見からの確認は困難だったが、両親は娘の死を受け入れるほかなかった。父親によると、母親は娘が死にいたった経過を知らされたあと、ショックのために精神状態が不安定となり、精神医に通って治療を受ける身となる。

一夫、次郎の供述によって、十人を越える少年不良グループが少女に対する暴行・凌辱にからんでいたことが判明し、それぞれ取り調べを受けたが、結局、昭和六十三年十一月二十五日夜の「略取・誘拐」とその後の監禁・強姦、昭和六十四年一月四日（同八日から平成元年となる）の「最後の暴行」に加わった一夫、次郎、三雄、司郎の四人が家庭裁判所の審判で「刑事処分相当」とされ、刑事裁判に付されることとなった。初公判は、平成元年七月三十一日。

同年十月二十三日に開かれた第五回公判で、弁護人から「何ごとも包み隠さず、正直に話すように」と言い聞かされていた三雄は、弁護人の質問に答え、犯行当時の心境をこうのべた。

――一夫君が（被害者を監禁している）きみの家にきて、ジッポ・オイルなどをかけてひどいことをしたことがありますね。それはいつごろのことですか。

「十二月の二十五日くらいだったと思います」

――オイルをかけて火をつけるという行為を見たとき、どう思った？

「ひどいと思いました」

――見た瞬間？

「はい」

――それからどう思いました？

「その後、被害者が熱がって、その姿が面白かった」

――どうして面白かったの？

「あの人がいやそうにしていると、一夫先輩が『笑え』と言ったり、気違いの真似をさせたりしたんで、なんか、そういうのが面白くなって……」

――火傷《やけど》はひどかった？

「はい」

――よく歩けないくらい？

「はい」

――それを見て、きみはどう思った？

「（首をひねって）あんまり、どう思ったか、よくわからない」

――かわいそうだ、というふうに思った？

「思いません」

――一月四日にやったことを聞きますが、警察できみがのべたことや、法廷で検事さんたちがきみたちのやったことについて言ったことを、まちがいなくやったのか。

「やりました」

――どうして、こんなひどいことをしてしまったのかな。

「たぶん、殴ったりするのが面白いというか……」

――被害者はもう、人間だという感じがしなかったのかな。

「今思えば、人間だと思っていなかったというか、そのころは、人間とか、そういうのも考えていなかった」

――翌日、死んでいるのがわかったね。そのとき、きみはどうした?

「自分と次郎先輩は、笑いました」

――どうして?

「よくわからないんですけど、とにかく、大声というか。なんで笑ったのか、よくわかんないんですけど……」

――もちろん、楽しくて笑ったわけじゃないね。

「はい」

第一章　別れ道

平成二年五月二十一日に行なわれた論告の中で、検察側は言葉をきわめて被告らの所業を攻撃した。

「わが国犯罪史上においても稀に見る重大かつ凶悪な犯罪」「残忍かつ極悪非道である点において、過去に類例を見出し難く、重大かつ凶悪な犯罪」と繰り返したうえ「動機はきわめて反社会的かつ自己中心的」「犯行態様は残虐かつ冷酷」「行動はまさに人の仮面をかぶった鬼畜の所業と断ぜざるをえない」とのべている。

二か月後の七月十九日、法廷で裁判長が読み上げた判決文にはこうある。

「(被害者の)身体的および精神的苦痛・苦悶、ならびに被告人らへの恨みの深さはいかばかりのものであったか、まことにこれを表現する言葉さえないくらいである」

四人が行なったことに関するかぎり、弁護側に、反論の余地はない。

問題は、そこにいたる歳月である。二十年足らずの間に、いったい、何があったのか。それははたして、鬼畜を育てるだけのために費やされた歳月だったのか――。

被告人たちの家族、なかでも両親は茫然としている。四人のうち、両親が揃っているのが二組。離婚し、別々の生計を営んでいる者が一組。父親が家庭を出たのち、交通事故死した者が一組。いずれも、祖父母や両親の庇護によらず、遊んで暮らせるほどのものを受け継がず、おのれの力ひとつをたのんで家庭を作った。総計してみれば、苦しいことのほうが多かった人生を四十年余にわたって過ごし、その末に、こういう息子たちの風景に直面した。

《何のために働いてきたのか……》

茫然とする以外に、彼らはなすすべを知らないでいる。

家庭を始めようとするとき、目の前にいる女性への愛情と、将来の生活に対する相応の向上心を抱かぬ男はいない。それゆえに、男たちは「オレといっしょにならないか」という最初の言葉を口にする。

例外があるにしても、それはごく不幸な少数者だ。一夫の父親は、当然のことながら平凡にしてしあわせな多数派に属していた。

太平洋戦争が始まった昭和十六年の生まれ。地方の県立高校を卒業して上京、私鉄に勤務するかたわら、大学の夜間部に通学して卒業、あらためて一生を託すに足る仕事を求めて就職しなおし、昭和四十年、証券会社に入社する。証券不況のまったただなかだった。

証券会社で働く者の日々は、好況下でも厳しい。朝は、証券取引所が開く一時間、二時間前に出社して、その日の作戦を練る。早いスタートを切れば切るほど、他にさきがけて一日を支配することができる。午後三時、後場の取引が終わったあとは、顧客との応対、新規の客の発掘などで忙殺される。「証券マンのほんとうの仕事は、大引けのあとから始まる」と言われるくらいだ。売り買いの伝票を整理し、人に会いに出かけ、電話をかけまくり、明日の方針を考え、仕事はいつ終わるともしれない。まして不況となれば、一日一日が綱渡りのような様相を呈する。

一夫の父親は、サラリーマンとして第一歩を踏み出したその日から、そういう生活を当然のこととして受け入れねばならなかった。

新入社員を採用する際、大手、中小を問わず、必要な定員数をかなり上回る水準でとるのが証券会社のごく普通のやり方となっている。昭和四十年入社の同期生六十人が、一年たつと半分に減った。証券会社の常識で言えば、これはむしろ「歩止まり」のいいほうと言える。この時期、移りたくてもほかに職を求める道が狭かったせいだ。

状況が変わった十年後には、六人が残っただけ。一夫の父親は、その六人のなかに入っていた。「十人に一人」の選ばれた者、というのは正確ではない。上司の怒声が飛ぶ。それといっしょに、ときには机上の灰皿も飛ぶ。そういう激烈な職業に「よく耐える者」だけが生き残る。入社して九年目には、株式部門で全営業マン中トップの営業成績を叩き出した。

昭和四十五年、店の客に紹介された女性と見合いし、結婚する。女性は東京生まれ。その両親は地方の出身で、上京して商店を経営していた。小学校五年のときにピアノを習い始め、私立の音楽大に在学中から音楽教室で教えるピアノ教師。

足立区内に両親が持っていた四十六坪ほどの土地に家を建て、新婚生活が始まった。証券会社の社員たちは、激しく働いて激しく遊ぶ。一日十二時間働いた末に「さあ行くか」と深夜の町に繰り出して行く生活を、誰も怪しむことがない。結婚して一週間後、同僚から「え、ご新婚さん、あんたもやるのかい。無理するなよ。帰ったほうがいいぞ」と声をかけられ「いや、やるとも。さあ行こう」と答えて麻雀卓を囲み、そのまま、初の外泊となる。始めてわずか一週間にしかならない「家庭」よりも、親しんですでに数年になる職場の規範、生活のリズムのほうが、とっさに優先した、ということだ。

一夫の弁護人は、最終弁論のなかで大要こうのべた。

「両親は昭和四十五年三月三十日、見合い結婚により結婚したが、新婚一週間目にして早くも夫が外泊してきたことがある。妻に、結婚生活への不安と夫への不信が芽生えた。この外泊は、証券マンの同僚とのつきあいが理由だったが、当時の新婚居宅にはまだ電話がついていなかったため、新婚間もない妻には、夫が帰宅できない理由が伝わらず、その後もたびたび帰宅しないことが続くうち、妻は強い不信感を抱くようになった」

繰り返しになるが、いかに見合い結婚であろうと、生涯をともにしようと決心した女性に、なにがしかの愛情を持たない男はいない。にもかかわらず、職場と家庭が刻むリズムが食いちがったとき、男はいとも簡単に、目前で鳴っている職場のリズムのほうに合わせてしまう。それがのちに、どれほど深刻な事態を招くことになるか、まったく知らぬままに、だ。どこにでもいる、平凡きわまる夫である。

最終弁論は続ける。

「妻は結婚の際、母（被告人の祖母）から、どんなにつらくても旦那様が遅く帰宅しても、三つ指をついて送り迎えすれば、浮気をしている夫もいつかは本妻のところに帰ってくるものだ、と言われていたが、そのとき、その言葉を思い出し、夫が帰宅しなかった理由を問いたださず、ただ自分の抱いた不信感や不安感を制圧し、思い出さないようにしながら、日々、ピアノ教師の仕事と家事でわれを忘れようとつとめていた……」

結婚して翌年、一夫が生まれ、七年後、妹が生まれた。一夫が生まれて半年くらいしたころ、夫とつきあいがあるという女性から電話がかかってくるようになる。一度だけではなく、二度、三度と重なるたびに、電話の内容が険悪となった。

見も知らぬ女性が、夫について親しげに語る。そのうえで、こう言った。

「あんたなんか、別れなさいよ。そのほうが、あの人はしあわせよ。あんたには、あの人をしあわせにはできないわ」

妻は、いやがらせとわかっていても、黙っているわけにはいかない。

「私には子供がいるのよ」

相手は言いつのる。

「いいから別れなさい！」

そういうことが何度も繰り返される。妻は、電話のベルが鳴るのが怖くなった。一夫が生後八か月になったころの正月、夫はスキー旅行に出かけていて留守。混乱に陥った妻は、子を抱えて自宅近くの荒川放水路の川べりをさまよい「いっそのこと、死んでやろうか」などとまで考える。帰宅した夫に、電話の内容を訴えると、夫は「あいつ、頭がおかしいんだ。それだけさ。なんてことないよ」と話をはぐらかした。

父親は、裁判所に提出した上申書にこう書いた。

「学生時代は苦学して、電鉄会社で働きながら勉強を続け、証券会社に入りました。私の生活信条は『額に汗して働く』ということです。これを中心にしてがんばってきました。証券会社に入ったあと、何人かの女性とつきあった経験はありますが、そのうちの一人とのつきあい方について、自分のほうに問題があって、家にいやがらせ電話がかかってきて、妻にトラブルの種をまいたことについては、今、断腸の思いで反省しています」

そして母親。

「いやがらせの電話に悩んだが、その悩みを何かで発散するということはなく、じっと我慢して過ごしていました。夫の収入がいくらかなのかも知らされていませんでした。私に、ピアノ教師としての収入があることが、夫の自尊心を傷つけていったように思います。あとで、証券取引に関してお客さんに損をかけ、その穴埋めをしたり、友人と寿司屋の店を開くために資金がいる、などということがあって、何度かおカネを要求され、夫に借用書を書いてもらったりしたこともあります」

仕事と職場のつきあいに歴然たる境界線を引くことができない。夜はいつも遅く、夕食を家でとることはほとんどなかった。相応の愛情を持って始めたはずの夫婦の間柄に、たちまちにして亀裂が入っていく。世間によくある、あまりにも見慣れた亀裂の風景。

亀裂を予期して家庭を始める者はいない。「マイ・ホーム」「マイ・ファミリー」に、それなりの夢や期待を持っているからこそ、家庭を持とうという気になる。にもかかわらず、亀裂はいたるところに発生する。あちこちがギクシャクとして、絵に描いたようにはうまくいかない家庭の数の多さを考えれば、それは格別に特異な状況ではない。

平成元年七月三十一日の第一回公判、検察側が冒頭陳述を行ない、四人の犯行を長々と再現して見せた日、一夫は法廷で二度にわたって失神した。

次郎、三雄、司郎の三人はつねにうなだれている。その姿勢をけっして変えない。一年間にわたる裁判の間、ずっと同じ姿で通した。唯一の例外が一夫で、背を伸ばし、頭を上げ、ときに身じろぎし、退廷のときは傍聴席に顔を向けて視線を投げる。その一夫が、しおれた花のように倒れるのを法廷内で目撃した人物が、あとでこう言った。

「この期に及んで芝居をしたんだろうか。あの倒れ方は、柔道の前受け身だよ。わざと倒れて見せたのだ」

この少年さえいなければ、こんなことも起こらなかったろうに、という恨みがこもっている。しかし、四人のうちの最後、法廷で質問される番が回ってきたとき、誰よりも明瞭な口調で、しかもあふれるものを抑えきれない勢いで積極的に語ったのは一夫だった。ときに、自らに不利を及ぼすたぐいのことまで話して弁護人を狼狽させた。

　弁護人の質問に答え、一夫はこうのべた。

——幼稚園に通う前のことについては記憶にあるかな。

「あまり覚えていません」

——幼稚園の名前は？

「覚えています」

——幼稚園に通うようになったころ、お母さんは？

「ピアノの先生をしていました」

——お母さんがその仕事をしているとき、きみはどうしていましたか。

「近所の家に預けられるときもあれば、お母さんが教えに行っているピアノの教室まででいっしょに行っていました」

——どうやって？

「自転車の荷台に籠みたいなものをつけて、その籠に乗せられて」

——それで、きみはお母さんがピアノの先生をしているのを、黙って聞いていたのかな。

「同じ部屋にいるときもあれば、ちがう部屋に行ってみたり、誰も相手にしてくれる人がいなかったら、花壇のチューリップの球根とかを引っこ抜いて遊んでいました」

――花を引っこ抜いちゃうのか。

「あった花はみんな引っこ抜く」

――小さいときのことだけど、そのときの気持を覚えているかな。どういう気持で引っこ抜いたの。

「みんなが見ているものをいたずらするのは面白いんじゃないかと……。しかも、暇だったし。ほかの部屋で待っているときは、幼稚園の先生とかが自分を相手にしてくれるんだけど、その先生が帰っちゃうと、やることがなくなっちゃうんです。それで、外へ出て行って、花を引っこ抜いちゃう」

――（ピアノ教室が開かれている）幼稚園の先生も、時間がくると帰っちゃうわけ？

「夕方になると帰ります」

――そうすると、残っているのはお母さんと、ピアノ教室の生徒さんと……。

「自分だけです。それと、園長さんと」

――先生が帰っちゃうと、さびしくなる？

「はい」

――きれいに咲いているチューリップを引っこ抜いたの？

「咲いている花も、咲いていない花も、球根も、全部」
——お母さんは、そのことについて怒ったりしたのか。
「お母さんは怒らなかったけど、園長さんが『ひどいことをしたな』と怒りました」

イギリスの哲学者・作家のコリン・ウィルソンは、ドナルド・シーマンとの共著『現代殺人百科』（関口篤訳）のまえがき「殺人の時代」のなかでこんなケースを紹介している。

カリフォルニア州サンベルナルディノで男女二人のティーン・エイジャーが殺された。数か月後、警察が五人の犯人グループを逮捕する。

彼らはその夜、ウォッカのボトルを回し飲みしながら、あてのないドライブをしていた。バス停近くで二人のティーン・エイジャーを見つけて車に誘い込み、町外れに連れ出して少女の服を引きちぎり、裸にする。少年が犯人の一人を殴り倒そうとしたため、激昂。「レイプというものがほんとうはどんなものか拝ませてやる」といい、少年に一部始終を見ることを強制。その眼前で少女の口と肛門、ヴァギナに三人が同時に押し入る、というやり方で凌辱。そのあとで二人を殺害した。

ウィルソンはこれを「ローマ皇帝症候群」と呼んだ。

「皇帝ネロのローマ、ユスティニアヌス一世のコンスタンティノープル、さらには、ボールド・バックスと呼ばれた一部の社会階層が、凌辱と死体切断を日常茶飯事にしていた十八世紀のロンドンなどの、富裕な若い冷血漢たちが犯した種類の犯罪である。ちがうのは、カリフォルニアの冷血漢たちは富裕ではなく、ただ退屈しているだけだった……」

『現代殺人百科』は、絞殺・撲殺・刺殺・射殺・毒殺・セックス殺人・ホモ殺人・子供殺し・バラバラ殺人・カルト殺人・大量殺人など、現実の事件で用いられた殺しの手口を網羅している。どうやって殺すか、の工夫で言えば、現代の人類は明らかにローマ皇帝の時代をしのいだ。「皇帝の退屈」が、あてどもなくドライブする無名の若者たちにまで及んだ、ということだ。しかし、退屈が殺人の理由になりうるにせよ、実行に及ぶ際は無為倦怠のままではいられない。相応の爆発的エネルギーを必要とする。

問題は、その破壊のエネルギーがどこに蓄積されていて、いつ爆発を起こすか、ということだ。エネルギー源は、人の目には容易に触れない。心中にそれを蓄えている者自身、破壊的な殺意の潜在にはほとんど気づかないまま、日々を過ごしているのだが、起爆装置のスイッチは確実に存在する。

カリフォルニア州サンベルナルディノの五人が二人連れに声をかけたのは、退屈しのぎの単なる衝動、あるいはウォッカがもたらした一時的な抑制破壊だったにしても、それだけでその後の激烈な行動を終始支えきれるわけがない。

恋人を守ろうとして、少年がひどくまともな戦いを挑んだ瞬間、おのれ自身想像もつかないほどの痛烈な憤怒がどっとほとばしったのだ。それがなければ、ただのレイプか強盗で終わっていたかもしれない。不幸にして、五人と二人の遭遇はそれだけでは終わらなかった。目前に、危険を犯してでも守るべき恋人を持ち、そういう少年を信じる少女がいる。戦う意志と明瞭な目的を備えた向こうの二人には、太陽の輝きがある。こちら側にはない。徹底的に何もない。意識の下でそれが破裂し、暴発した。

サンベルナルディノの五人に比べれば、東京の幼稚園児、母親が子どもたちにピアノを教えている間、付き添ってくれる大人のないまま、ひたすら待っているだけの四、五歳の幼児の表現手段は、たかが知れている。しかし、退屈と憤怒の質においては変わりはない。大人から見れば小さな爆発でも、彼にとっては存在のすべてを揺るがすほどのエネルギーである。彼は、二人連れを襲う代わりに、花壇の花を黙々と引き抜いていた。

弁護人の質問を続ける。

——話を変えよう。きみが幼稚園のころのお父さんのイメージというと？

「お父さんですか（考えこむ）」

——あまり思い浮かばないか。

「近所の子を集めて、いっしょに野球をやってくれました」

——お母さんがピアノ教室に行っている留守の間（母方の）おじいちゃん、おばあちゃんに預けられていたこともありますか。

「はい」

——おじいちゃんは、どんな人でしたか。

「やさしくて、いろんなことを教えてくれました。将棋を教えてくれたときは、自分の飛車とか角を引くだけではなく、自分にくれて相手をしてくれました」

——おじいちゃんに怒られた記憶は？

「ないです」

——ただやさしかった？

「いけないことをすると、怒られるんじゃあなくて、叱られた、という感じはあります」

——きみの印象では、怒られるのは叱られるのとではちがうのかな。

「怒るというのは、腹を立てて感情的になることで、叱るというのは、教え諭すということだと思っています」

——おばあちゃんは？

「礼儀作法を厳しく教える人で、やさしい人でした」

——どういう点が厳しかった？

「話をするときは、相手の目を見て話せ、とか。お客さん商売だから、お客さんと接するときは行儀よくしなさい、とか。箸の使い方、正しい坐り方なんか、ちゃんとできるまでいっしょになって教えてくれた」

——おばあちゃんに怒られたことはありますか。

「怒られたんじゃなくて、叱られた。いや、おばあちゃんはそうではなくて、自分の言うことを聞かないと、自分で泣き出して、それで注意する、というか……」

——おじいちゃんとおばあちゃんの娘であるお母さんを見た場合、どっちに似ていると思いますか。

「おばあちゃんに似ています」

——よく似ている？

「はい。怒るとすぐ感情的になって泣き出すところとか。細かいところまで厳しく注意するところも」

一夫は、母方の祖父になついた。祖父もまた、娘が生んだこの初孫がかわいくてならず「いい子になれよ」と言って聞かせては将棋の相手などをつとめた。父親は、わが子にこう育ってほしい、という夢を託す。わが子が願っていたほどのしあわせに恵まれないと、今度はその子、すなわち孫にこそ、と思いをかける。祖父が死んだとき、一夫の嘆きぶりは異常なくらいで、葬式場から火葬場まで、泣いて泣いて泣き続けた。

——幼稚園のころ、お母さんがピアノの先生だったことで、ほかにさびしい思いをしたことがありますか。

「食事がいっしょでなかったのがさびしいな、と思いました。近所の子とかは、みんな家族そろってご飯を食べているんだけど、ぼくの家はぼく一人で食べていたのです」

——お父さんは、晩ご飯のときに帰ってこないの。

「幼稚園のときは、晩ご飯をお父さんといっしょに食べた記憶がない。お母さんとも」

――小学校に入って一年のとき、妹さんが生まれたころから、お手伝いさんがくるようになりましたね。

「はい。でも、自分はそのおばさんが作ったご飯を食べた記憶はありません。近所の、預けられた家で食べた晩ご飯しか記憶にありません」

――その家は何人家族？

「お父さんとお母さんとお姉さんと、自分よりちょっと年上の男の子の四人家族です。この家では、ご飯はみんなで作ってみんなで食べる。子供はニンジンとかを洗ったり、お父さんはラーメンを作るときだったら、小麦粉を練ったりしていました」

――一家で協力してご飯を作るわけだ。

「そうです。ぼくも手伝って、勝手にやったりしていました」

――そうやって作った晩ご飯を、どんなふうに食べるの？

「お父さんとお母さんは、学校であったことの話をよく聞いてくれました。それを聞いて、いろいろ注意してくれたり、教えてくれたりして、ここが自分の家なんだと思いました」

――きみは、人に話を聞いてもらうのが好きなのか。

「話すのが好きというか、いろいろ教えられるのが好きだし、言うのも好きです」

――風呂なんかはどうしていた?

「この家には風呂がないんで、子供たちは洗濯機にお湯を入れて、洗濯機をお風呂代わりにしていました」

――きみも入ったの?

「はい。面白かったので、家に帰って同じことをやろうとしたら、お母さんに怒られました」

――しかし、いつまでもいられるわけではなかったんだろう。

「夜、お母さんが迎えにくるのですが、帰るのがいやでした。家に帰ると、お母さんは仕事でぐったり疲れていてすぐ寝ちゃうだけだし、ぼくがテレビを見ていると『早く寝なさい』と言って電気を消されちゃうし、家に帰るのはいやでした。迎えにくると、お母さんをメチャクチャにぶったりしたのを覚えています」

――妹さんが生まれたあと、お父さんやお母さんのきみに対する手のかけ方は、変わってきたんだろうか。

「お母さんのほうは変わらなかったと思うけど、お父さんのほうは変わったと思う」

――どんなふうに?

「妹にはよく、いろんなものを買ってくれるんだけど、自分には何も買ってくれなかった。買ってくれと頼んでも、買ってもらえた記憶がない、というか……」

——それに対して、きみはどんな気持だった？

「死んじゃえばいい、とか、そういうことを……」

——過激な言葉だけど、非常に頭にきた、ということかな。

「自分のことを構ってくれないんで……」

——直接、お父さんにそれを言ったことはありますか。

「ちっちゃいころはありません」

——大きくなってからは？

「死ね、ということですか」

——じゃなくて、妹と自分の待遇を……。

「そういう話はしていない」

——じゃ、きみとしては我慢しちゃったわけだ。

「妹にやきもちを焼いている、と思われるのはしゃくだった」

——そのころに、何回か盗みをしているね。どうして盗みをしたのか。

「いろんな理由があるんです。最初は、家からカネを持ち出して、駄菓子屋に行きました」

——なぜ？

「お母さんが、合成着色剤とかがついている食品を食べさせたがらなかった。自分で、スモモとかアンズとかの二十円、三十円のアイスクリームを買おうとすると怒られる。アンズ・アイスやスモモ・アイスを買いたいと言ってもおカネをくれない。お母さんは、レディボーデンとかのアイスしか食べさせてくれなかったが、近所の子はスモモとかアンズ・アイスを食べていました。それで、ぼくもそれを買いたくて、おカネを盗みました」

——お母さんにはその盗みはわかっていたの？

「全部、バレていました」

——怒られた？

「はい。一番初めに怒ったのは、玄関前で怒られて叩かれ、ぼくが泣き叫んでもひっぱたかれたり蹴られたりして、玄関から階段のところまで殴られ続けました。ころがって行って、最後、階段のところで行き止まったときに靴べらで叩かれ、その靴べらが割れて、顔がみみずばれになりました」

——お母さんは、きみの顔ではなくて、階段を叩いたという記憶じゃないの。

「自分は、ほっぺたを叩かれた、という記憶です」

——それで、小学校の一、二年のころは、盗みをやめたの？

「バレないようにやっていました。欲しいものがあると、どうしても欲しいので、今度は見つからないようにやろうと思って、盗んでいました」

——怒ると、ひどくものに当たったりしていたそうだね。

「カッとなると、持っていたものをドブに捨てたり、着ている服を引き裂いたり……」

——やさしくなだめるとか、感情が激さないようなおだやかなものの言い方でさとす。そういうことをお父さんやお母さんはしたのかな。

「たぶん、しなかったと思う」

——小学校一年生から二年生になるときの作文で「赤ちゃんの手」という題で、きみはこんなことを書いている。「赤ちゃんの手は小さくて、かわいくて、たまらないね。いいにおいです。おなかがへるとおやゆびをしゃぶってキュッて音を立てる。おふろから出てからにおいをかいだら、おふろのにおいがしました。リンゴ・ジュースをのむまえにあくしゅをしたら、においがしませんでした」これは、きみの妹のことを書いたのか。

「そうです」

——かわいがっていた?

「あ、そのときはうれしかったというか、今まで一人っ子だったんで、きょうだいができたのでかわいかった。寝る前にオルゴールを鳴らしてやったり、目をパッチリ開かれると、なんか、いっしょに遊んでみたり。お父さんが妹のことをかわいがっていたから、妹が憎かったということはありません」

——小学校三、四年のころ、両親の仲はどんな状態だったか、覚えているかな。

「もう仲が悪かった。お父さんが家にいたような記憶はありません。帰りが遅くて、朝が早かったから」

——お母さんは、お父さんのことをどう言っていた?

「小学校二年生か、それとも四年生のときだったか、そのくらいのころから聞かされていました。『お父さんは、結婚してから家におカネを一円も入れてなくて、今は飲食店の共同経営をしているから、私のおカネとか、あんたの貯金まで全部持って行っちゃって、この家には五千円だか一万円だかしかなくて、あと全部、お父さんが持って行った』と、お母さんが泣きながら言っていました」

——泣きながら?

「駅のホームで。ぼくは、マクドナルドのマークシールが非常に好きだったんで『買ってくれ』とダダこねていたんですが、そのときに……」

――お父さんのことをどう思った?

「なんでカネ持って行っちゃうんだ、死んじゃえばいい、とか……」

――お父さんに競輪場に連れて行ってもらって、そのとき、お父さんがだいぶ儲けたことがあったね。

「松戸競輪だったと思います。帰りに喫茶店に行って、八百円のジュースを飲ませてもらった。そのあと、洋服を買ってくれるというんで、競輪でいっぱい儲かったから、服をいっぱい買ってもらえると思ったのに、三千円のシャツ一枚しか買ってくれなかった。セコイ人だな、と思って、なんかお父さんという感覚がなくなっちゃいました」

――妹とトラックの荷台の上で遊んでいて、妹がそこから落ちて大ケガをしたことがあったね。

「小学校三年生か四年生のときです。近所の病院に運ばれて、何針か縫いました」

――そのとき、お父さんになんと怒られましたか。

「いきなり殴られて『出てけ』とか『死ね』とか、そんなことを言われました」

一夫は、胸にしみるような思い出話を、弁護人にたずねられるまま、キビキビと話した。小柄で色白。目鼻立ちがくっきりしていて、頭は拘置所に入って以来ずっと丸刈り。眼光がちょっときついが、凶悪犯と見えるほどではない。幼年時の悲痛な体験を語りつつ、ここまでは声が湿ることもなかった。自分を突き離し、歴史上の事実のようにして客観化する語り口は、暗愚な少年に可能なことではない。法廷は、傍聴人が坐り直す際のかすかな衣ずれや椅子のきしみの音まで、明瞭に聞き取れるほど静まりかえり、人々は、かなりの早口で語り続けられる「幼い日の思い出」に耳を傾けた。

幼稚園から小学校低学年にかけて、記憶は驚くほど鮮明である。弁護人質問ではあるが、数時間に及ぶやりとりのすべてを、打ち合わせどおりにできるはずがない。東京・小菅の東京拘置所内での金網越しの接見では、そこまでのリハーサルは不可能だ。

記憶というより、刻み目の深さから言えば、傷痕と呼んだほうが当たっている。幼いころの記憶とは、だいたいにおいて、そういう種類のものだ。人は、ウサギを追った山や小ブナを釣った川のことより、蹴つまずいて膝から血を流した木の根、落ちて足の骨を折った溝のことのほうをよく覚えている。

もうひとつ、忘れられない記憶。父親が裁判所への上申書で書いている。

「小学校高学年になって、息子は反抗的になり、あるとき自分が『出て行け』と叱ったところ、ほんとうに家出をしてしまいました。これは、わが家が家庭的でないことへの警告の家出だったと思いますが、当時は気がつきませんでした。

その後、家庭のことについて、親子の考え方の間に相違があったり、自分のほうが逃げてしまい、約束の大切さや現実社会の厳しさ、ルールを教える方法を自分がとらなかった。親子間、あるいは夫婦間で、その問題について火花の散るような対話をすることもなく過ごしてきました」

小学校三年のとき、深夜、父親に「出て行け」と叱られた一夫は、パジャマにはだしのまま家を飛び出し、数時間、帰宅しなかった。母親は心配して心あたりを必死に探し回ったが、父親は「なに、すぐ帰ってくるさ。遠くに行くわけがない」と家に留まり、所在ないまま、自室に寝そべってテレビを見て過ごす。

一夫は、その父親の姿を、隣家の三階屋上からじっと眺めていた。これもまた、いつまでも血のにじみ出る傷痕となった。

夫が職場で向上のための戦いに骨身を削る思いをしているころ、妻は家庭にあってわが子に向上の思いを託した。自らの結婚生活には、すでにして修復不可能なほどの亀裂が入っている。だからこそ、息子により望ましい男性像を期待して、熱心に教育と訓練を課した。それが親の愛情であると信じて疑わなかった。

弁護人は、最終弁論で次のように言っている。

「息子の小学校入学後何度も、離婚が夫婦の間で取り沙汰されていましたが、結局、子供の養育、世間体のため、二人とも離婚には踏みきれず『家庭内離婚』の状態のまま、それぞれがそれぞれの仕事をバラバラの心のままやって行く毎日が続きます。

（小学校四年のとき）夫が高血圧で五か月入院したとき、夫は弱気となり、妻に今後の生活の不安を訴えたところ、妻は夫が死にたいなら死ねばよい、という意味のことを言い放ったこともあります。

夫がリハビリで回復し、ほぼ普通の生活状態に戻ったのち、夫婦間にトラブルが起こります。妻はその翌日、妻の母の持つアパートに家出したことがありました。息子に行方を探しあてられて帰宅しましたが、この家出事件は、息子に相当のショックを与えました。

またその後、夫は何度も外泊していましたが、ある日、妻がゴルフから帰宅した夫の荷物の後かたづけをしていたところ（女性に関するものを）見つけ、妻は逆上し、夫に向かって『殺してよ、殺してよ』と叫びながらつめ寄る、という事件もありました。

妻は、このような夫婦の状態について、息子の担任の教師に相談しましたが、教師から『そこまでいったら離婚しかないのではないか』と言われました。そこで夫に対し離婚のことを口にしたところ、夫は『いつでもハンを押してやる、あとは子供の問題だけだ』と答えていました。夫婦の感情が激化したときは、このような言い争いが息子の面前で行なわれ、息子は自分が身を置くべき家庭を喪失した実感を味わわされたのです」

夫との関係悪化に悩む一方で、この母親は息子とどう接していたか。最終弁論が続ける。

「母は、息子とともに過ごせる時間が少ないのを補うため、連絡帳を作って息子と対話しようとしました。小学校四年まで、いっしょに風呂に入ったり、誕生日には普通のケーキより段数の多いケーキを特別注文したりして、一面では溺愛的な愛情を息子に注いでいました」

小学校一年の授業参観のときだ。母親が見ている前で、息子は一度も「ハイ!」と手をあげない。たまりかねた母親は、自分の席から「一夫、手を上げなさい」と大声で呼びかけた。息子もまたたまりかね、あてずっぽうに手を上げる。

「はい、一夫君」

と先生に指名されたが、もとより答えようがない。思いつくままデタラメなことをしゃべり、母は顔から火の出る思いを経験した。息子はのちに文集に書いた。

「ぼくはじゅぎょうさんかんがいちばんきらいだ」

これに対し母は授業参観の感想文に「家を留守にしているので、どうしてもよそのお子さんと比較して、少しでもわが子が優れているようにと、願っている自分が恥かしい」と書いた。

弁護人は、最終弁論のなかでこう分析する。

「そこに書かれている文章全体から察すると、その言葉ほど自分の教育態度を反省しているようにはうかがえません。むしろ、この感想は、わが子が他の子より優れていてほしい、というその当時の母の教育態度の根源をしめすものであると考えられます。母は夫から加えられるさまざまなストレスのはけ口を、子供の教育に求めていたのです。

このような教育ママは世上よく見受けられますが、この母が特殊だったのは、自分がピアノ教師だったことです。ピアノ教師になるまでに相当の習練を積んでおり、音楽学校で好成績をおさめています。さらに、教師となってからも、生徒の指導には定評があり、子育てのため仕事をやめようとしたとき、教え子の父兄から慰留され、翻意したほどです。

ピアノ教師は、生徒に継続的に課題を出し続け、毎日、怠りなく生徒が練習しているかを見きわめ、過大な消化を果たさせ、あるときは叱り、あるときはほめながら、一定のカリキュラムにしたがって生徒を段階的に向上させていくのが理想です。そして、ピアノを習いにくる子供は、ある程度レベルの高い子が一般で、ピアノ教師はすでに一定の選別を受けた子を相手に仕事をしているのです。

この母も同様であり、自分の子の教育についても、ピアノ教師としての役割から外れず、自分の子が一定レベル以上になるものと見なし、ピアノ教授法のノウハウをそのまま被告人の教育にも適用し、厳しい指導をもって当たりました。

母の内心では、自分の息子が他の子供より優れていてほしいという願望と、他の子供より優れているのだという現実の認識が混交し、息子に対する要求の水準が引き上げられました」

弁護人は、ピアノ教師であるこの母親に、ある種の特殊性を見てこのように書いた。しかし、母親一般のレベルで見れば、彼女はいささかも特殊ではない。むしろ、ごくありふれた母親にすぎない。母親が十人いたらそのうち九人までが、みな、同じような顔をしている。同じたぐいの言葉で語る。

夫のことをふくめ、現実がすべてにおいて満ち足りている母親など、いるはずがない。夫の頼りなさ、家庭建設に対する非協力的態度、心の通い合いの薄さなどなど、満ち足りない現実を身にしみてかみしめているからこそ、彼女たちは、子供にその器以上の水を注ごうとする。「せめてこの子だけは……」とせつなく願い、それゆえに「励め、がんばれ」と昼夜を問わず子供に求め続ける。その努力が、大輪の美しい花を咲かせ、みごとな実を結ぶこともある。そして、そうでない場合もある。

母親は、祖父との将棋で腕をあげた息子を、町の将棋道場に通わせた。英語塾に行かせ、公文《くもん》式算数テストを受けさせた。市販のプリント学習もやらせた。一日中、ピアノ教師で働いたのち、夜遅くまで、息子の勉強を督励した。

かくも教育熱心で子育てに手間暇かける母親の息子が、小学校の高学年にかかるころから集団万引き、ケンカ、校内暴力など、あっという間に悪くなった。

弁護人の被告人質問。

——小学校五年のときに、一級上の女の子とつきあうようになったね。電話したりとか。

「夜、家に行って花火を見たりとか」

——電話でいろいろ話をするわけだが、そういう話はお母さんとはしなかったの。

「そのときは、お母さんとそういうことを話そうという気はありませんでした。もう、親子という感覚ではなかったと思います」

――どうしてそんなになっちゃったのかね。

「怒るときはネチネチと怒るし。もうやだな、と。この女の子と電話していると、邪魔しにくる。部屋の障子に影が映っているので、そうっと行ってみると盗み聞きしていたりする。あるいは『私に電話使わせて』という。用事もないのに部屋に入ってくる。そういうことをするので、すごくいやでした」

――で、お母さんに対して暴力を振るったのかな。

「ものを投げたり、殴ったり。ケガをさせたこともあります。腕や足がはれていました」

――お母さんにはそういうことをしていたのに、つきあっている女の子には、膝の上で昼寝したり、耳掃除してもらったり、きみとしてはとてもしあわせな気分だったんだね。

「その女の子といると、落ち着きました」

――六年生のころ、いっしょに遊んでいた男の仲間は？

「先輩で、みんな暴走族」

——自転車で……。

「ハンドルを改造して、チョッパーという形にする。ラッパとかオルゴールをつける。それで自転車暴走族をやっていました。爆竹をばらまいたりする。それを毎日のようにやっていました。仲間とは『中学校に入ったら、暴走族やろう』と話していました」

学校内でケンカとなり、消火器を持ち出したうえ、窓ガラスを叩き割る。隣町の小学校の番長と二日がかりの決闘を演じる。友だちが家から持ち出してきたカネをゲーム・センターで使い込み、両親、学校の先生がその親の前で土下座して謝らされる……。

——で、学校でどう扱われた？

「いろいろあってから、学年主任の先生に『もう学校にくるな』と言われました。ぼくは『もう二度とこねえや』と言って、学校に置いてあった防災頭巾や道具箱とか、全部持って家に帰りました」

——ほんとうは学校が好きだったんだろう。

「はい」

——その学校から閉め出されて、どう思った？

「さびしかった。だけど、年上の先輩とかが『いいよ、いいよ。オレたちだって学校行ってねえんだから……』と慰めてくれましたから……」

――そのころ、お母さんがきみを戸塚ヨット・スクールに入れる、という話をしたね。

「最初は、不良が更生する学校だと思っていたので、入学するつもりでいたんですが、暴走族の先輩に『あそこはひどいところだからやめろ』と言われ、聞いてみるとものすごいところなんで、お母さんに（入学を）断りに行ってもらいました。なかなか断れなくって、家にいるとスクールの先生が迎えにくるんじゃないかと思って、怖かった。しばらくしてから『もう二度と学校にくるな』と言った小学校の先生が家にきて『反省が利いたか』とか『先生はさびしいよ』とか、わけのわからないことを言って、それで学校に連れて行かれました」

――学校に戻ってから、また先生に目をつけられたんだね。

「目の仇にされるというか、ボコボコになるまで、よく殴られました」

――お母さんには？

「『今日、学校でこういうことがあったけど、誰にも言わないでね』と言ったのに、次の日、学校に行ったら先生がそのことを知っていた。で『てめえ、あのことをお母さんに言ったろう』といきなり殴られた」

――お母さんも先生も信用できなくなった？

「もう絶対、信用できないと思いました」

信用できない者に向かって、爆発的な暴力が発生する。

こんな文章がある。

「どんな横丁でもいいから、アメリカの路地を歩くとする。六軒に一所帯の割合で、夫婦間に暴力シーンが見られる。夫が妻を殴るか、妻が夫を殴ったのである。子どもがいる所帯となると、五軒に三軒で子どもを殴る音が響いた。二人以上の子どもがいるところでは、五軒に三軒の割合で兄弟同士の暴力シーンが見られた」（『閉ざされた扉のかげで（家族間の愛と暴力）』M・ストロース、R・ゲルス、S・スタインメッツ著、小中陽太郎訳）

アメリカの国立精神衛生研究所の後援で行なわれたニューハンプシャー大学の「家族内暴力研究」をまとめた本（一九八〇年刊）の第一章「家の中の暴力」の書き出しである。著者は「今までも、アメリカは暴力的な社会であるということは知られていた。ところが、今度あらたにわかった驚くべきことは、アメリカの家庭が、実は、ほかのアメリカの施設や設備と同様、あるいは、それにまさって暴力的であるということだ」と嘆いている。

しかし、一九九〇年代、日本という国に住む者は「アメリカの家庭はなんと平和なことか」と、まったく別の感想を抱く。一九八〇年、アメリカではまだ、子から親への家庭内暴力が精神医学・社会学的な考察、調査、研究の対象になるまでにはいたっていなかった、といううらやむべき事実に気づくからだ。

子が親に対して行使する暴力の凄まじさは、さいわいにもそれを知らない者の想像を絶する。

一九八〇年代の初め、情緒障害児へのスパルタ教育を引き受けていた戸塚ヨット・スクールで死者が出て刑事事件となったとき、教育評論家、精神医学者、青少年カウンセラー、あるいは良識派と言われる人々の間で「親が子を捨てた」という激しい批判が行なわれた。

「さまざまな相談施設があるし、カウンセラー、専門医もいる。当然なすべき努力をしないで、暴力的なスクールに子を捨てる者は、親ではない」

などと言われた。

それに対し、子をスクールに入れていた親の一人が、こう言った。

「何かの助けになると聞いたところは、宗教家をふくめすべて訪ね歩いた。その果てに万策尽き、こうなったらもう、子を殺して親も死ぬしかない、と思いつめたとき、スクールのことを知ったのだ。子を入れるからには死んでもいい、子が死んだら親も死のうと覚悟をきめていた」

一九七〇年代に、日本では「家庭内暴力とは子から親に対して行なわれるもの」という定義が確立した。質・量ともに、世界のなかの先駆現象である。しかも、すでに二十年余を経過しながら、いまだに病巣はつきとめられていない。したがって、明確な対策、適切な治療方法も提供できていない。

家庭裁判所の調査官として、多くのケースを手がけた人物が、こう書いている。

「家庭内暴力が生ずる家庭でとりわけ特徴的な存在は（おもに暴力の対象となる）母親であり、概して勝ち気で活動的であり、夫の言うことに耳を貸さず、自分の言い分をとうとうとしゃべりまくるといった、自己中心的な面を有する一方、きわめて几帳面で、ささいなことに気を使わずにはいられない神経質・強迫的な傾向をあわせもっている。父親は、家庭内では真面目で誠実で、社会的地位も比較的高いことが多い。しかし、感情融通性に乏しく、家庭内（という感情表出の要求される場所）では、おとなしく小心で、発言権もなく優柔不断である。このため、一家の主柱という印象はきわめて乏しく、父親の役割が果たすべき権威・指導性に欠ける」（『暴力非行』の中

の一章「家庭における暴力」〈荒木直彦〉から）

今はまさに「勝ち気で几帳面で活動的な女性」が、時代の主役として喝采を集めているときである。母親が、そういう美徳を捨てれば家庭から子の暴力が消えるのか。始末が悪いことに、逆は必ずしも真ではない。

もちろん、問題解決策を明快に語る学者、評論家は多い。彼らは、事件が起こるたびに、首尾一貫した解説を行ない、対策を提示する。

少年が悲惨な犯罪を犯した。マスコミにコメントを求められた人が「こうなる前に、私のところに相談にきていてくれたら……」と慨嘆する。その少年の親は、彼の施設をすでに訪ねていたが、効果的な助言を何ひとつ得られずに失望して帰った、という事実がわかり、彼はにわかに沈黙した……。現実に、そういうケースが起こっている。

ストロースらが書いた本の題名「閉ざされた扉のかげで」（ビハインド・クローズド・ドアーズ）とは、言うまでもなく家庭のことである。アメリカでは、そのドアの向こうで親が子を虐待し、夫婦がガン・ファイトを演じている。そして日本では、悲しいくらい薄っぺらなドアを通して、向こう三軒両隣りに、子が親を殴る音が響きわたっている。

一夫の家の近くに住む人々が、現にそれを聞いていた。ガラスの割れる音も耳にしたし、母親の顔に残る殴打のあとも見た。

子が親を殴るのは、地獄の風景である。皮肉というか、悲劇というべきか、その地獄の入口にあったのは憎悪ではない。家庭を始める際に必要とされるものがなにがしかの愛である以上、そこにもともとゴロリところがっていたのは、まぎれもなく「愛」だった。この情念に関してさまざまな分類が行なわれているが、いかなるたぐいのものであれ、愛はそもそも愛なのであって、それ以外のなにものでもない。

やがて、この家の暴力の主が、おのれは知らず、ひとつのターニング・ポイントに立つ。少年が曲がり角を別の方向に曲がっていたら、検察官が「人間の仮面を被った鬼畜の所業」と言い、裁判所が「表現する言葉さえない」と形容した犯罪が起こらずにすんだかもしれない、重大なターニング・ポイントのひとつである。

第二章　赤い嵐

小学校六年のとき、一夫はすでに暴走族ふうの外見を作りあげていた。身長一メートル六〇センチほどの小柄だが、髪は脱色する、あるいは染める、そりを入れる、パンチパーマをかける。町の道場で柔道や空手を覚え、そこで知り合った年長のつっぱりたちと町を流し、売られたケンカは躊躇なく買う。売り手がいなければ自分から売って歩いた。万引きをする。盗む。露顕して厳しく叱責され、むりやり頭を下げさせられてもその場かぎりで、悪事のやむことがない。家庭内では、些細なことですぐ暴発し、母を殴った。モノを投げて暴れた。

検察官の質問に対する答。

——小学校のころ、友だちの家にしきりに外泊していたそうだが。

「はい。五年生の冬くらいから、外泊を続けていました」

——きみの家から、どのくらい離れていたのか。

「二キロか三キロくらいです」

——お父さんやお母さんは、きみがどこに泊まっているのかはわかっていたのだな。

「わかっていました。夕方か夜、お母さんが何度も迎えにきました」

——それできみはどうした？

「殴って追い返しました。あるいは、くるな、とわかったら途中の道で待ち伏せしていて、そこで殴って追い返す」

——翌日、また迎えにくるのか。

「また殴って追い返す」

——お父さんは迎えにこなかったのか。

「一回もなかったと思います」

——お父さんは、あまり厳しくなかったのか。

「六年生のとき、お父さんとしゃべった記憶はあまりありません」

——万引き、盗みを始めたのはいつごろからか。

「五年生の夏ごろからです」

——それがお母さんに知れて、お母さんが謝りに行ったりしたわけだな。

「そういうことも、何回もありました。小学校の万引きグループが事件になっちゃって、親たちと謝りに行ったこともあります」

——お母さんに謝ってもらって、きみ自身はどう考えたのか。

「なんでバレちゃったんだろう、失敗したな、とか……」

——もうやめようとは思わないのか。

「なんでバレたのか、そっちのほうが先で、悪いことしたとは思いませんでした」

――他の子どもを乱暴して、お母さんが謝ってくれたこともあった。そういうときも、もうこれでやめようと考えたことはなかったわけか。

「もうやめよう、ではなくて、なんでバレたのか、どうして言いつけられちゃったんだろう、とそっちのほうばかり考えていました」

――しかし、お母さんが謝るとき、きみ自身も「すみませんでした」とは言うんだろう？

「言わされたから、一応は言います」

――その場では、だな。

「そうです」

――そうすると、小学校のころからもう、悪いことをしてバレても、心の中から謝ると言う気持はなかったのか。

「ありませんでした」

　リーダー格でありながら、一夫の被告人質問は四人の一番最後に回された。弁護側が「シンナー中毒の後遺症により脳波に異常があるため、被告人質問はあとにしてほしい」と要請し、それが認められたのである。だが、ひとたび証言台に立つと、一夫の言葉は奔流となって法廷に流れ出た。

――きみは、ご両親のことをどう見ていたのか。

「お母さんは、仕事と家庭を一所懸命がんばろうとしている人だと思います」

――お父さんは？

「よくわかりません。お母さんから聞いた話によると、お父さんは家におカネを入れていないそうだし、ただ、朝、起きて行くと、お父さんとお母さんと妹がいっしょにご飯を食べているのを見て『やっぱり妹にはお父さんが必要なんだな』と思うくらいで……。自分にとっては、お父さんというのは、いてもいなくても同じ感じでした」

――お父さんは、妹をえこひいきしていると思ったのか。

「お父さんは、子どもにはあまり関心がないんだけど、少しは関心があって、その少しが妹のほうに向いていたのだと思います」

――自分には全然向いていないと思っていた？

「やっぱり、自分はお父さんの期待を裏切っちゃったというか、だから向かないのも当たり前だと思っていました」

――いつごろからそういう気持があった？

「小学校六年の最初からもうありました」

――きみが悪いことをするようになる前は、お父さんはきみのこともかわいがっていてくれたのか。

「二年生くらいまでは、麻雀を教えてくれたり、将棋をいっしょにやってくれたり、あと野球とかもやっていました」

これは、検察側の反対尋問である。弁護人が、被告の立場を少しでも有利に導こうとして行なう質問とは性質がまったくちがう。しかし一夫は、質問に対して間を置かず、つんのめっていくような早口で答えた。

そして弁護人の質問。ここでも、自分の悪を突き放し、客観的に描写する。

――悪いことをしていたときの、きみの罪悪感、罪の意識について話してください。

「悪いということはわかっているんだけど、あのころは、悪いことをするのが当たり前になっていて、そこらへんの感覚が麻痺していた。当たり前のことなんだから、悪いとは思っていませんでした」

――いいことか悪いことかの区別はついていても、悪いことをするのは平気だったんだね。

「はい。そういう気持でした」

――女の人を強姦する、そういうときも、悪いことだけど構わない、という気持だったのか。

「悪いことが自分にとっては楽しいことであるから、相手はどうあろうと自分がよければいい、という考え方でした」

――いつごろから、そういうふうになったの。

「小学校五年くらいから、悪いことはカッコいいと思っていたから、どんなに怒られても、口では反省して見せても心では反省していませんでした。だから、小学校五年のころから、悪いということはほとんどやっていました」

――悪いことがどうしてカッコいいのか。

「小学校六年くらいのときから、悪いと言われている先輩たちとよく遊んでいて、自分の三年くらい先輩が『覚醒剤と殺人以外は全部やった』と言うのを聞いて、ぼくと友達の三人で『オレたち大きくなったら、殺人、覚醒剤やってやろう』と話していました」

――本気で言ったのか、それとも冗談？

「自分は本気で言っていました」

その一夫が、小学校の卒業文集に「ぼくは将来、少年院の院長になりたい」と書いた。これもまた、冗談ではない。早熟な不良少年が、在学中、さんざん手を焼かせた教師を卒業に際してからかっているのでもない。

「オレ、悪いことはいっぱいした。万引き、ケンカ、たいがいのことはやった。だから、悪いことをやる奴らの気持がわかる。オレなら、非行少年と呼ばれる連中を立ち直らせてやれる。オレに向いているのはそういう仕事だと思う」

本人は、大真面目にそう考えていた。少年は十二歳にしてすでに、悪事に飽きかけていたのである。

のち、裁判所は公判が始まって間もなく「共犯少年の相互の関係を前提として、犯罪精神医学から見た本件一連の犯行にいたった心理規制」について、上智大学心理学科教授（当時）、医学博士・福島章に心理鑑定を依頼した。検察側および弁護側の一部は、これに不同意を唱えたが、裁判所の職権によって鑑定は行なわれることとなり、福島教授は、関係記録、学校照会、面接所見、心理テスト、ＣＴスキャンなどによる検査を重ねたうえ、平成二年二月九日、鑑定結果を裁判所に報告した。同鑑定は、四人をいずれも「精神病質者」とし、一夫については「爆発性・情性欠如の精神病質者で、その基底には『早幼児期脳障害』による人格形成の病理がある」と見た。裁判所が配布した「鑑定書要旨」は次のようにのべる。

「脳の形態学的・電気生理学的異常が証明され、行動・性格面で問題が認められ、早幼児期脳障害による精神病質と診断される。

出生前後のある時期に、脳の軽微な障害を受け、知的な欠陥は生じなかったものの、パーソナリティの発達には標準的な子どものそれとは違った点が多々あり、非行が低年齢から出現したが、この責任は、少年自身や母親にあったわけではなく、その脳の軽微な障害にあった。

この障害のゆえに、衝動のコントロールの悪さや気分の動揺などのために、問題行動や攻撃行動を多発し、周囲から問題視される否定的な自己像を形成、自他との深刻な葛藤と、問題・不適応行動を増大するという悪循環を起こしていた。（中略）

少年は脳の微細な障害により、非行・神経症・問題行動などの不適応に陥りやすいが、その非行は、思春期危機に対する反応として起こり、成人後に身体や精神が成熟し、安定してくると、容易に非行生活から離脱する可能性があり、その意味では予後はよいと言える。

精神障害のゆえに、本件犯行の許されないことを認識、これにしたがって行動制御する能力がいちじるしく低下していたとは考えられないし、現在の段階で、狭義の医療が必要とも考えられないが、脳障害の存在は、量刑を考える上での情状のひとつとして、また今後の処遇や教育方針の決定のための資料として、慎重に考慮されるべきである」

この鑑定は、法廷で報告されるより早くマスコミに漏れ、大きく報道されてセンセーションを起こした。衝撃には、二種類ある。ひとつは「かくも極悪非道の所業を行なった主犯が、脳障害をたてにとって、罪を軽減されるというのか。そんなことをさせるな」という「正義派」たちの憤慨であり、もうひとつは、親も本人も知らないうちに、これほど「重大」な結果をもたらす「軽微」な障害が脳に発生することがありうる、と知らされたための、深い恐怖感である。

筑波大学の小田晋教授（当時）は、一審判決が出たあとでこんな感想をのべた。

「本当に脳に障害がある場合に、こんなに早く社会に出していいのか。実は、脳障害は三十くらいになるとかなり鎮まってくるんです。成熟遅滞といいましてね。だから、三十前後まで身柄を強制確保しておくほうが、再犯防止のためにも、彼のためにも親切だ。しかし（一審判決の）十七年というと、二十代で社会に出てくる可能性がかなり高いわけです。そう考えると、ぼくは今回の量刑には賛成できないんです。

この少年の場合は、脳障害の結果、かなりの情性欠如的で、衝動的な人格障害が生じている。これを矯正することは、かなり難しいんですよ」（「週刊文春」平成二年八月九日号から）

正義派たちの憤慨を裏返すと、恐怖感がひっくりかえって一種の「安心感」が発生する。

「脳に障害があったんですか。つまり、異常な脳の持ち主だから、こんなおそろしいことをやれたというわけなのね。怖いわねえ。でも、もしかしたらそんなことじゃないのかしら、とは思ってましたよ。普通の子があれほどひどいことをやるはずがありませんもの。やっぱりねえ。そうだったのねえ。ウチの子、たいしてデキはよくないけど、まあ、普通でよかったわ。ああ、怖い、怖い……」

そういうたぐいの安心感だ。異常ときめてしまえば、大多数の「正常」は危険の外、安全圏に留まりうると考える、しあわせな楽天主義である。

だが、それほどしあわせな考え方をしない親たちもいる。

一夫の弁護人は、最終弁論でこの障害についてふれ、こうのべた。

「本件でもっとも重要なことは、被告人に早幼児期脳障害との因果関係があることでございます。福島鑑定人の鑑定書により、被告人の早幼児期脳障害という器質的病因が、被告人の情緒面の発達障害をもたらしたことが明らかになりました。この鑑定結果は、以下の理由により、きわめて信用性が高く、情状の重要性を考慮されなければなりません。

まず、被告人の大脳左側後頭側部に異質像があることは、頭部X線、CTスキャンならびに頭部MRIによって明らかなところであります。過去に脳波の異常が見られたこと、現在の脳波に成熟していない部分があることは、脳の障害があったことを裏づけるものでございます。

被告人の母は、被告人をみごもった妊娠五か月のとき、急性虫垂炎で手術をしたことがあります。この手術が、脳障害の一因になった可能性がある。この入院中、および退院後、夫は家事をまったく手伝ってくれないうえ、あいかわらず夫の外泊がひんぱんに続くので、被告人の母は、夫をまったくあてにせず、家庭のことはすべて自分一人でとりしきらねばならないという思いを抱いて、生活をしていたのであります」

鑑定書を提出したのち、福島鑑定人は法廷で弁護人、検察、裁判官らの質問を受けた。

——早幼児期脳障害というのは？

「障害の程度は、別の診断では微小脳機能障害症候群で、軽度のものです。重ければ脳障害とかいうものをもたらしたと思いますが、そういうものはまったくなくて、専門家が面接して、そういう程度の、軽いものであると思います」

――それは乳児期に？

「乳児あるいは胎児の脳の発達障害が、母親の妊娠時、あるいは出産時の人為的なものによってもたらされるかどうかという問題は、極端な、戦時中の孤児院というところでは立証されていますが、普通の状況では、人為的なものが脳へ直接、ということは証明されていない、と思っています。ただ、胎児期の問題については、ある程度の影響はあるかもしれません」

――障害のある部分は？

「これは、形態学的に欠けている部分、あるいは萎縮している部分という意味でありまして、それが後頭部から頭部左側にあります。しかし、その部分がないとか萎縮しているとかいうことではなくて、脳全体として問題があるので、そういう表現になっているということです。部分的障害と考えるよりは、脳の全体的な障害と考えて、早幼児期脳障害という言葉を使ったほうがいいと思います」

――情緒面の発達との関連では、どのようになりますか。

「ひとつは、早幼児期に脳障害がございますと、ライフサイクルの各段階での発達が十分できない。問題行動が起こる」

――このまま、自然におくとどうなりますか。

「時間とともにある成熟段階に達する。ただ、身長（の伸び方）でも、人によって高い段階で止まる人と、低い段階で止まる人とがありますから、その成熟レベルがどこで頭打ちになるか、ということはわかりません。二十代前半くらいで脳の成熟は終わるだろうと思います」

――お母さんとの関係は？

「お母さまがわりあい情緒不安定、それから、お仕事のために息子さんと接する時間が少なかったという問題もあって、信頼感の形成は多少問題があったと思います。パーソナリティの面では、自信をもってゆったりと安心していられるという側面が乏しい人で、何か一所懸命やっていたような気がする。それから、ちょっと強迫的なところがある。そういう面は、この問題と関連すると思います」

――本人は、盗みの経験がわりと年齢の低いころからあるわけですが、盗みという行為は、この時期のなんらかの不満と関係があるんですか。

「盗みは、母親から直接得られない愛情欲求の不満みたいなものから行なわれる場合が多いので、その一面があると思います」

――両親の養育態度は重要だと思いますが、家で主として教育を与えていたのはお母さんです。このお母さんの養育態度で、問題となった点はどういうことでしょうか。

「母親の養育態度が不適切だったとは思わないんです。ただ、普通のお子さんとは多少ちがうので、熱心にやったりすると、そこで差別感、不信感が起こるということですね」

——一方では親愛感があるが、その一方では厳しい態度もあった。こういうふたつの相反する態度に接して、本人はとまどったと思いますが。

「愛着行動としつけというのは、どんな母親でも持っているふたつの機能ですから、そんなに分離しなければ問題にはならないわけです。非常に熱心に教育されて、結果として裏目に出たという面は多いと思います」

平成元年七月三十一日から同二年七月十九日まで、三十回を超える公判に、被害者・加害者といっさい関係がなく、傍聴したことをメディアに発表する計画もまったくないにもかかわらず、終始通いつめた傍聴人が何人かいる。「新聞で事件を知り、なんとなく他人事とは思えなくなったので……」というのだが、彼らは傍聴を重ねるうち、次第に楽天的でもしあわせな気分でもなくなり、言いようのない不安感に悩むようになった。ひと言でいえば、一夫をはじめとする少年たちのパーソナル・ヒストリーに、とくに異常な点を発見できにくくなったことによる。

彼らが医学的に異常であるとわかれば、ひとまず安心できる。福島鑑定は、まさに「安心のきっかけ」をもたらしかけたのだが、法廷での鑑定人質問を聞くうちに、再び薄気味の悪い不安が頭をもたげてきた、と感じて傍聴人たちの気分は打ち沈んだ。

彼らはこんな感想を語った。

「こうやって裁判を聞いていますとね。いちいち、胸にこたえることばかりなんですよ。ウチの女房なんか、一夫の母親どころではない。朝から晩まで、勉強、勉強と金切り声をあげ続けてきましたからね。もっとおそろしいのは、例の早幼児期脳障害というやつですよ。あの子にあってウチの子にはない、と誰が言いきれますか。言われてみると、ウチの子も、女房の腹のなかにいたころ、それとも生まれてすぐのころ、何かなかったかなあ、と考え込んでしまう……」

落ち着きがない、始末におえない、反社会的行動をとる、といった子供たちの問題行動と、脳の小さな障害との間に関係がある、と考えられるようになったのは、第二次大戦以降とされている。ドイツの精神医学者、レンプは早幼児期脳障害を持つ子どもには、次のような特長がある、とした。（以下の箇条書は福島章『犯罪心理学入門』中公新書から）

① 知能は平均的で、著しい低下はない。

②注意力は低く、非常に移り気で飽きやすい。
③感情は不安定である。
④衝動的で抑えがきかない。
⑤外からの刺激には、敏感に反応する。
⑥対人的距離の喪失。未知の人にもなれなれしく、人見知りせず、平気で近づいていくが、持続的な人間的結合能力に欠けている。
⑦危険に対する恐怖心に欠け、平気で高いところから飛び下りたり、危険な遊びに熱中する。
⑧学業成績は、知能に比較して悪く、ほんとうの友人が作れず、いたずらが多い。

一夫の弁護人は、これらの特長がすべて当てはまる、と主張した。同じように、子を持つ親なら、この八項目のうち、いくつか、あるいは全部について心当たりがある。これを異常とするのなら、今のところ非行の徴候はなく、犯罪を犯すこともしていないが、わが子もまた、潜在的にどこかしらが異常なのではないか。この子が生まれてくるとき、何か、脳にかすかな障害を及ぼすような出来事はなかったろうか——それを考えて、傍聴人は胸のなかが冷えてくるような恐怖を覚えたのだった。

傍聴人たちの恐怖を背にして、一夫は早口の証言を続けた。

小学校五、六年をそんなふうにして過ごしたのち、中学校に進む日が近づいたころから、一夫に変化が生じる。悪名は隣町の小学校にまで鳴り響いていたが、ケンカ沙汰への「出場回数」が日を追って減り、少なくともみずから売って歩くことをしなくなった。法廷で、弁護人の質問に答え、一夫が語る。

――卒業文集に「少年院の院長になりたい」と書くとは、百八十度の転換だね。これはどうしてなのか。

「悪いことはもうひととおりやってしまった感じで、それで六年生の終わりごろには落ち着いてきたというか……。悪いことから卒業して……。ケンカでは十分名前を売ったみたいな感じがしたし……」

――つきあう友だちが変わったのか。

「はい。一番の親友ができました。頭のいい子で、それまで、かっぱらいとか、悪いことをいっしょにやっていた奴とちがって、よく勉強していました。ぼくの知らないことを知っているし、ぼくの話はよく聞いてくれる。前は、勉強のできる子は自分の敵だと思っていたんですが、そうやってつきあってみるとちがった。その友だちと話したり、遊んだりするほうが楽しくなったのです。普通の、真面目な子と並んで過ごすのが楽しくなりました」

――その親友について、どんなことを考えていた？

「今まで、自分と遊んでいた友だちは、自分とつきあうようになってから悪くなった、とみんなに言われていました。しかし、この親友が、自分と遊ぶようになってから悪くなったとは、絶対に言われたくない、とぼくは思いました。逆に、この親友と遊ぶようになって、自分も悪いことをしなくなったと言われるようになろうと努力しました」

――で、同じ中学に入った。この親友といっしょのときはあまり悪いことをしなくなったね。

「あ、でもケンカは……」

――小学校のころとはちがう？

「先輩という先輩に呼び出されて殴られたんで、殴り返したケンカです。でも、そのケンカもだんだんしなくなりました。先輩にも、頭を下げるようにして……」

――中学校では、柔道部に入りましたね。

「親友が『柔道部を見に行こう』というので行ったら、前に知っていた先輩がいて『一夫、柔道部はおもしれえから入れ』と言われ、それで親友といっしょに入部しました」

――柔道部の先生について話してください。

「柔道の『柔』ではなくて『道』を教える、精神のことを教える、と言いました。『強くなれ』とか『そうじゃない。こうやるんだ』という代わりに、柔道を志す者の心のことを教えてくれた先生です」

――その先生、柔道は強かった？

「はっきり言うと、強くなかったです。でも、ぼくはこの先生が好きでした」

――きみは前に「3年B組金八先生」みたいな先生は小学校にはいなかった、と言っていたが、この先生はどうだった？

「（ドラマの中の）金八先生まではいかないですけど、似ています」

――先生になついたのかな。

「なついたというか、この先生は怒らないんです。怒るのではなくて叱る。絶対に感情的になって怒ったりしないんです」

――中学校の柔道部に入ってからは、ケンカをやろうとしたことはなかった？

「ほかの中学校の柔道部の生徒と一回だけやろうとしたことがあります。しかし、自分がもし今出て行ったら大きなケンカになってしまう。それで警察沙汰にでもなったら、柔道部が試合に出られなくなる。自分はそういうことになっても構わないけど、今まで、真面目に努力してきた友だちが出られなくなったら駄目だ、と考えて（ケンカに）出るのをやめました。みんなは（ケンカに）出ようと言ったんですが、ぼくとぼくの親友と二人で『出るのはよせ』と言い、それでみんな我慢しました」

――きみの中学校の柔道部はなかなか強かったね。でも、東京にはもっと強い中学があった。

「弦巻と明大中野です」

――だいたい、そこが全国ナンバーワンだったんじゃないの。それを倒せれば、日本一になれる。都大会が、実質的には日本一をきめる大会だったんだね。

「はい。自分が一年生のときは、都大会で決勝まで行ったんですが、弦巻に2―3で負け、二位になりました。親友は勝ったんですが。それが悔しくて悔しくて、それからものすごく練習するようになりました。弦巻中学で柔道やっていたのは、みんな世田谷学園（高校）に入るんですが、二年のとき、ぼくらの二年先輩が世田谷学園に入りました。それで、その先輩に弦巻の練習内容を調べてもらったんです。弦巻というのは、柔道の天才少年が集まっている、その天才と同じ練習をしていたのでは、いつまでたっても勝てない、ということで、弦巻が朝五キロ走るといったら、自分たちは六キロ走るとか、弦巻以上の練習をやりました」

――先生に言われて？

「みんなで相談してきめたのです。全員です。大きな紙に『打倒・弦巻、目標・全国制覇』と書いて、毎日練習しました」

――どんな練習？

「柔道の道場に通うほか、自分は腰が弱いと言われていたんで、ボディビルでバーベル上げたり、自転車のチューブなんかを使って筋力トレーニングをやりました。これがいい、あれがいい、と言われる道具は全部、お母さんやおばあちゃんに頼んで買ってもらってやりました」

――それは夜にやるのか。

「朝も夜も。自分だけではなく、全員やっていました」

――朝から夜まで、柔道か。

「そうしないと、弦巻に勝てないから」

――柔道部をやめたいと思ったことはなかったのか。

「一年生のとき、柔道に飽きたというか。練習がつらい、女の子と遊びたいと……」

――どうしてやめなかった？

「親友が『そんなくだらない理由でやめるな。続けろ』と言ってくれました」

――中学三年の間にスランプは？

「区の大会で、今までずっと優勝していた大きな相手を投げて、ぼくが優勝しました。そのあと『オレはあいつを投げたんだ』と傲慢になっちゃって、練習の手を抜いて、テニス部の女の子とテニスをして遊んだりしていたら、いきなり下の奴に投げられて負けたんです。それで目が覚めました。それから、肘を痛めて、肘が伸びなくなって病院に通ったことがあります。そのとき、肘に負担がかからないということで、一本背負いを一所懸命に練習し、それがぼくの得意技になりました」

――スポーツで活躍していたし、女の子に人気があったでしょう。

「声はよくかけられました。運動会のときはすごかったです」

――三年になって、高校進学が近づいて、家庭教師について勉強したね。

「前から教わっていたんですが、そのころは、大学生の家庭教師のバカ話を聞いている、といった感じだったんです。しかし（柔道部の強い私大付属の）高校に入ろうと決心してから、ぼくがやる気を出したら、その大学生も一所懸命教えてくれるようになり、英語や数学をがんばりました」

――成績はどうなった？

「クラスで一番できなくって、偏差値32だったのが57とか58とか、普通の人よりよくなっちゃいました」

——最初の志望校は？

「修徳を希望してました。中学生のとき、あそこの道場に練習に行っていましたから。しかし、大学へ行くんだったら、修徳は一〇〇パーセントのうち二〇パーセントしか行けない。私大付属高なら九五パーセントで、親友も受けるというのでぼくもそっちにしました」

——中学時代はいいクラブに入って、いい先生といい親友に恵まれた。女の子にもてたし、成績は上がった。青春そのものだね。誰のおかげだったと思う？

「やっぱり、その親友のおかげだったんじゃないですか。小学校のとき、ぼくは悪いことしかできなかったのに『いいこともあるんだぞ』と教えてくれたし、中学校でも、その親友がいなかったら柔道部に入らなかったでしょう。親友がいなければ、ぼくは暴走族になってヤクザ、というコースだったと思います」

一夫は、柔道の腕を買われて私大付属高に推薦で入学する。荒廃の小学校生活の最後にめぐり合った親友も同じ高校に入り、中学時代同様、ともに柔道部に入部する。背は小さいが、一本背負いに鋭い切れ味を持つ、軽量級のホープと期待された。

一夫はこのとき、まぎれもなくひとつの曲がり角にかかっていた。少年の人生の一時期を、充実・豊饒と空虚・荒涼に分ける苛烈な別れ道である。

だが、それ以前にも分岐点はあったはずだ、と言う人もいる。平成二年二月、月刊誌に事件の背景を報じる記事が掲載されたあと、その記事の筆者に、埼玉県越谷市在住の村上皓庸という人から大要、次のような手紙が寄せられた。

この文章を読んで、なんともやるせない無力感を味わっています。「家庭内暴力」という言葉が、子から親に対するものという定義が確立してから二十余年を経過しながら、いまだに病巣はつきとめられていない――形は変わっても、病巣が類似していると思われる事件は消えていません。

私は、八年前まで東京都内の公立小学校の校長をつとめました。情緒障害児（虞犯、犯罪少年の予備軍）といっても千差万別、多様ですが、これは学校の対応の仕方によって九九パーセントは予防可能だと考えています。それは、小学校低学年、とくに三、四年生の時期（多少の個人差はありますが）の指導が重要です。

この時期は、体力的にも知能的にも柔軟で、吸収力が非常に旺盛です。この時期に適切な学習指導が行なわれていれば、登校拒否、虞犯少年のほとんどが、家庭事情に関係なく救われるものと確信しています。

体育でのマット運動の前回り、鉄棒の逆上がり、跳び箱運動などには、幼稚園のときから個人差があり、国語、算数などでもちょっとしたつまずきから遅れをきたす児童に対して、適切な指導ができていない教師ほど「お前、こんなことができないのか」等の不用意な言葉が出ます。これが友だちからも、ときに家庭内でも重ねられていることが多いのです。

こんなことは、多くの人が感じているのですが、原因や理由がわかっていても改善の方向になかなか進みません。学校現場ではもちろん、指導法の研究、改善の工夫を重ねて成果をあげつつあることも事実です。だから、情緒障害児の多発する学校と、ほとんどいない学校や、低学年の担当教師によってちがいが出ることもわかっています。

校長は、教職員の定数のなかで配当された教師を担任として任命するのですが、全員が優秀とはかぎりません。マスコミに登場してくる、優秀と言われる教師のなかにさえ、一方的なイデオロギーの仲間からだけ優秀であって、多くの教え子たちが迷惑をこうむっている話を聞いたことがあります。

いろいろなタイプの、指導に疑問のある教師がいます。その人を無担任としておく余裕はなく、やむなく三、四年生の担任として配当することになるケースが多いのです。三、四年生というのは、児童からも父母からも、比較的苦情が少ないからです。

どの時期も大切なことに変わりはありませんが、とくに低学年で適切な指導が行なわれていれば、そこからは、五、六年、中学生になってから情緒障害児が出てくるのは、特別な事情がないかぎり、皆無といっても過言ではないと思っています。もし出てきても、治療が容易なのです。

事件が起こったあと、学者、評論家と称する人々の発言は、もともと責任がないのだから仕方ないとしても、もう少し掘り下げて、本質的改善の示唆のようなものを言ってほしい、と思うことがあります。

先日、ある会合で、この事件が話題になりました。その席に、都内のある教育相談所の先生（雇用延長で勤務中の退職校長）がおられてこんな話になったのです。

「四少年の家庭に対し、同情的な見方をする人もいるが、要するに家庭環境、両親が悪かったんですよ」

たしかに「家庭・両親が悪い」ということもあるとは思いますが、教育委員会、学校が「家庭が悪い」と言って事件をかたづけてしまう、責任は学校にはないんだ、と言わんばかりの考え方にいきどおりを覚えるのです。

学校現場では裁判・訴訟事件が増えており、学校側の非を認めると訴訟に不利になる、という考え方が浸透しているのはやむをえないのかもしれません。これについても、私は「非を認めないほうが有利」という考え方そのものに、すでに訴訟をこじらせ、長引かせる原因がひそんでいると考えるのです。

適切な指導が行なわれていれば、事故の発生率も少なく、もし起こった場合の事故処理の仕方によって、方向が大きく変わることもあります。これは、低学年の指導も同じで、初期の指導の重要性を痛感いたします。

低学年では、できるだけのびのびと遊ばせて育てるほうがよい、という考え方があります。しかしこれは、家庭教師だ、塾だ、おけいこだと、学習過剰になっている子どもについて言えることであって、多くの子どもは、現在、非常に増えている共働き家庭の留守番役と、時間を過ごすためのテレビ・ゲームが相手です。

学校での学習は、国語は作文、算数は水道方式、理科は観察、体育はドッジボールかサッカー。これらはもちろん、指導の方法によっては利点も多いのですが、細かい指導は手抜きのまま。そのうえ、業者からの宿題プリントを持たせて帰す。三、四年までは、比較的簡単に親が面倒を見ることができますが、共働きの家庭では、ときに簡単に処理できない場合があります。宿題ができている子は、担任が百点をつけて帰す。やってこない子は、そのままにしてのんびりと楽しく過ごして帰る。親からはよい先生、子どもからは面白い先生と評価されて、一年はたちまちにして過ぎてしまうのです。

実は、このあたりから、家庭の事情その他の条件が重なり、大きい差が生じます。親は働いているのだ、ということを十分知りながら、潜在的な不満が積み重なり、親への要求が暴力として現れるのです。

この事件にかかわった少年たちは、その供述を見てもわかるように、ちょっと方向が正しければ、正しい判断が可能だったにちがいないと思い、小学校担任教師の責任の重大性をあらためて痛感した次第です。

一夫は、元小学校校長の指摘する「三、四年生」という分岐点をまさに通過したのち、非行を爆発させせた。小学校を終える直前、本人の言う「親友」とめぐり会って曲がり角を発見する。角を曲がってそのまま直進したら、いささか言動が崩れてはいるが、柔道に関するかぎり純な向上心を燃やす少年、あるいは、一本背負いの名手とうたわれる新進柔道家が一人誕生しただけで終わっていたかもしれない。

しかし、そうはならなかった。少年は、ひとつの角を曲がったすぐあと、もうひとつの分岐点にかかる。

私大付属高に進学する前、一夫は推薦入学の中学生を集めて行なわれた同校の合宿練習で、先輩を締め技で締め落とし、たちまちにして先輩部員の注目を集めた。

「なんだ、あの野郎」

「態度がでかいじゃないか」

「かわいがってやろうぜ」

という、徹底的にネガティブな注目である。

一夫が弁護人の質問に答えて語る。

――柔道の重量別について聞きたい。

「七一キロ以下が軽量級、七一キロ以上が中量級、七八キロ以上が軽重量級、八六キロ以上が中重量級、九五キロ以上が重量級。ぼくはそのころ六〇キロくらいでしたから軽量級です」

――高校生と比べてどうだった？

「ぼくは左から組んでくる人とやるのがとても得意でした。高校の軽量級の先輩は

『左を制する者は世界を制する』ということで、みんな左組みでしたから、ぼくとしてはやりやすかった」

――入学する前の合宿で、先輩を締め落とした。

「あそこでは、締めが入ったら相手を落とすまでやるんです。練習でも試合形式でやりますから。自分はそのとき知らなかったんですが、相手もそれなりに技をかけていたんで、続けていたら落ちてしまった」

――風当たりがきつかったでしょう。

「生意気だとか、そういうことを言われました」

――とにかく、高校生活が始まった。その印象は？

「のびのびと自由な感じで、いい学校だと思いました。普通は学生服を着なければいけないでしょう。しかし、あそこはジーパンをはいていっても、先生が『おう、カッコいいな』という感じでした。先生が生徒のことを信用しているというか」

――荒れた学校という感じはなかった？

「先生に反抗する奴とかは、除け者にされて学校をやめていっちゃう」

――柔道部の練習は？

「中学校とちがって、練習はきつかった。毎日、午後・夕方の練習のほかに、週に二回、月曜日と木曜日だったと思いますが、朝も練習があった。五時に起きないと間に合わない。家に帰るのは夜の九時、十時。しかし、練習がきついのは当たり前だし、全国で一番になりたくてあの高校に入ったんですから、練習は苦になりませんでした」

――いやなことはなかった？

「いくつかあります」

――何が一番いやだった？

「先輩のいじめです」

――どんな？

「軽量級の三年生とけいこをやっていると、自分のかける投げ技がみんなきまってしまう。先生はそれを見て、けいこのあと、投げられた先輩を殴るんです。殴られたあとで、その先輩がぼくを『なんでてめえ、いい気になって投げるんだ』と殴る。蹴る。『先輩のことを投げてはいけないのか』と思って、次の日から先輩を投げないでいると、今度は先生が『お前、きのうは投げられたのに今日はどうして投げられないのか』とぼくを殴る。先生に殴られるのはいやですから、翌日、先輩を投げるとまた先輩に殴られる」

――ジレンマに陥ったわけだ。中学生のころ、きみが通っていた道場には?

「東海大学や明治大学の柔道部OBたちもきていました」

――そういう人とけいこしていたから、中学生レベル以上の力をつけていたんだ。

「一所懸命に練習をしていました」

――きみを殴った先生は、中学の柔道部の先生みたいに、柔道の弱い人ではなかった。

「現役だし、強い先生もコーチもいました」

――きみに投げられたことでいやがらせをした先輩は、軽量級や中量級の人たちばかりだったのかな。

「軽量級の先輩にいじめられると、ぼくがむきになって向かっていくので、そうすると、先輩に反抗したということで重量級が出てきました」

――どんなふうに?

「一〇〇キロ以上の人たちが、自分のことを巻き込む」

――巻き込む?

「払いをかけて倒し、その上に一〇〇キロくらいの人がのっかってくるんです。そうなると息ができない。何十回となくやられました」

――練習方法を変えたりしなかったの。

「軽量級の先輩を投げれば先輩に怒られるし、投げないと先生に怒られるので、絶対勝てない重量級の人のところに行って練習しました。足取りとか。すると、それが生意気だと先生に怒られた。投げられもしないところに行って何やってるんだ、と」

——それじゃあ、やりようがなくなっちゃうね。それ以外には？

「あの高校には柔道の道場がないんで、隣の短大の体育館で練習をやります。この体育館は、半分が柔道場で半分が剣道場なんですが『お前、そんなに柔道が好きなら、オレが投げ込みをやってやる』と言って、剣道場の板の間で投げ込まれました。畳とちがって、板の間ではクッションがないんで、それでぼくは腰が回らなくなり、接骨医に通いました」

——ほかには？

「殺虫剤を火炎放射器みたいにして吹きつけられたり。鉄亜鈴《アレイ》で耳をはさんだり」

——そういう目にあって、先生に訴えなかったのか。

「言いましたが、とりあげてもらえませんでした。『闘志なき者は去れ』とか、わけのわからないことを言われて……」

——それだけ？

「七月二十日過ぎごろからは、いろんな形の締め技で、面白がって落とされました。

何十回もです」

――やられるとどうなる？

「一日に四回も五回も落とされたときは、顔に赤い斑点がポツポツと出て、目は真っ赤に充血し、ろれつが回らなくなりました。自分は『このまま殺されるんじゃないか』と思いました。寝てる間も、殴られたり蹴られたりが夢に出てくるようになって……」

――そういうことをいつもやる先輩のことを、どう思った？

「殺してやろうか、と。その先輩は、練習中にいきなり飛びかかってきて殴ったり、締めてきたり。反撃すると、その先輩の仲間がやってくるので、やり返せないんです」

――きみは、柔道が弱すぎて、それで練習について行けなかったんじゃないのか。

「軽量級の先輩は、乱取りでポンポン投げていたんです。だから、ついて行けなかったわけではない」

――「打倒・弦巻」の文字を掲げた中学時代の感じはなかった？

「いやいや柔道をやっている感じの人が多かったですから。柔道マシンみたいな」

――引分けの練習をやらされたこともあるそうだね。

「団体の対抗戦で味方のポイント・ゲッターが確実に勝てば、1―0や2―1で勝てる場合がある。そういうときは、相手のポイント・ゲッターにポイントをあげさせてはいけない。何がなんでも引分けに持ち込め、ということで練習試合のとき、やらされたことがあります。ぼくはごまかしの練習をしたくない。引分けるために練習をしてきたんじゃない、と思って、先生の指示を無視して勝ってしまった。このときも、いきなり先生に殴られました」

――中学時代の柔道と、意味が変わったね。

「学校のための柔道という感じでした」

――それに気がついたのはいつごろ？

「夏休みの合宿に行ったときはもう……」

どんづまりに追い込まれた一夫は、心中に吹き荒れる憤怒を、学校の外で爆発させる。通りすがりの少年をからかう。もつれると殴る。手当たり次第にケンカを売る。正確に言えば、これはケンカではない。一方的な暴力行為。赤い嵐。

ひところやんでいた家庭内暴力に再び火がつき、本人の言葉によれば母親を「ボコボコになるまで」殴った。逃げるのを追いかけ、追いつめ、殴る、蹴る。椅子を振り上げる。母親は助けを求めて悲鳴をあげるが、委細かまわず圧倒的な暴力を浴びせる。

「こんな家、ぶっ壊すぞ」

とわめいてはガラスを割る。電話を壊す。修理が終わるとすぐまた壊す。家の中にあって形のあるものはすべて破壊しつくしたいという衝動。居間、寝室、玄関、窓という窓。父親が証券マン、母親がピアノ教師の家が惨憺たるありさまとなる。妹を殴ることはさすがにしなかったが、深夜「オレがこんなに怒っているのに、なんでテメエは寝ているんだ」と叩き起こしたこともしばしば。

荒れに荒れた末に、暴走族のメンバーになった。中学時代の三年間は、すでにはるか遠い。少年は、決定的な曲がり角を折れ込んで行こうとしていた。

小学校六年が終わるころに親密な友情を結び、中学の柔道部で「打倒・弦巻」を誓い合い、同じ高校に入学して柔道部を選んだ「親友」の存在も、このときはもう遠くなっていた。すさみきった少年の目には、おのれの救い手だったはずの親友が、いじめられる側ではなくて、新人いじめをやる側、つまり、柔道部主流派に身を置いていると見えたのである。

入学した年、すなわち昭和六十一年九月、一夫は胃を病んで通院する。「柔道部でしごきにあっているらしい」と、両親は学校に相談に行ったが、はかばかしい結果は得られなかった。父親が裁判所に提出した上申書によると、柔道部の監督は、「どうせ柔道部をやめるつもりなのだろう。そういう生徒のことについては、何も言うことはない」

とつっぱね、先輩部員による「いじめ」に言及すると、

「ガタガタ言うな。もう時間がない」

と席を立った、とある。

この間の事情について、学校当局は、事件以後、沈黙を守っている。電話でインタビューを求めたところ、教頭と名乗る人物がこう言った。

「その件については、いっさい答えないことにしている。本人の基本的人権にかかわることだし、当校の方針でもある。マスコミはもちろん、弁護士、検察庁だろうと、この件について話をすることはない。したこともない」

それだけで終わった。

一夫は六十二年二月、自主退学のかたちで、推薦入学した高校から去った。本人が語る。

「ぼくの中学での偏差値は、56か57だったが、あの高校は65くらい。授業ではすごく難しいことをやっている。全然ついていけないし、柔道部の練習で疲れて、授業中は

居眠りばかりしていた。担任の先生は『学校をやめてはいけない』と言って、いろいろやってくれたが、柔道やめていきなり学科をやれ、と言われても、先生が何を言っているのかまるでわからないありさまだった。そのころ、ぼくの地元の友だちは次々に高校をやめていたし、とにかく、自分も早く学校をやめて仕事をしたいな、と考えた」

そのころ、一夫は恋をしていた。相手は、中学校時代の同級生で、司郎の姉である。

第三章

六人の騎手

足立区の青少年問題協議会（事務局・足立区教育委員会生涯教育部青少年調整係）は、千住・西新井・綾瀬三警察署の協力を得て、毎年『少年非行白書』を出している。昭和六十二年度版（六十三年十一月発行）の「はじめに」のなかで、協議会会長（足立区長）がこうのべている。

「補導実数、人口比とも、戦後最悪といわれた『少年非行第三のピーク』も、ここ二、三年落ち着きをみせ、全国的にも、また足立区においても減少に向かうか、と思われました。ところが、まことに遺憾ながら、昭和六十二年中に補導された非行少年は、わずかではありますが、増加しております。また、足立区内で補導された不良行為少年につきましては、『深夜徘徊』の増加にともない、急増いたしました」

「非行少年」とは、まず「刑法や銃刀法・毒物および劇薬取締法など、特別法に定める罪を犯した者で、十四歳以上二十歳未満の少年」。第二に「同じく十四歳未満の少年」。そしてもうひとつ「虞犯少年」を合わせて言う。虞犯少年とは「保護者の正当な監督に服しない性癖がある、正当の理由なく家庭に寄りつかない、犯罪性のある人や不道徳な人と交際し、またはいかがわしい場所に出入りする、自分や他人の徳性を害する行為をする性癖がある者」を言う。

そして「不良行為少年」とは「非行少年ではないが、飲酒、喫煙、喧嘩、その他自己または他人の徳性を害する行為をしている少年」を指す。足立区の白書はそういう少年がめっきり増えたと指摘している。

この種の数字が、実態を必ずしも反映していない場合がある。極端なことを言えば、その年、警察が大いにやる気を出したか、あるいは、他の何らかの任務に忙殺され、町をふらつく不良どもにまで手が回りかねたか、そういった事情で数字がときに伸びたり縮んだりすることも考えられる。そうした「ミリ単位」のことを別にして、大ざっぱな傾向を見るための数字だ。

白書によると、綾瀬署管内でこの年、補導された非行少年は、区内の他の二署が前年に比べ減少、横ばい傾向にあるのに対し、百四十五人増えて六百八十四人となった。学職別では、中学生がやや減ったが、高校生、有職・無職少年が大幅に増えている。不良行為少年にいたっては、一挙に倍増し、三千五百二十人。

補導事例として、こんなケースがあげられている。

自動車盗――無職一人をふくむ中学生二十数人。家出や深夜徘徊を繰り返している「つっぱり」で、中古車センターや路上から自動車十数台を次々に盗み、日光、水戸、千葉などにドライブ。ほかにも、オートバイ盗や車上狙い（車内の物品を盗む行為）をやっていた。とられた処分は、二人逮捕。三人補導。十一人誓約。

強盗致傷・窃盗――十四歳の男子少年三人。勤めや買い物帰りの主婦を狙って後方から自転車で追いつき、ショルダー・バッグなどをひったくって逃げる、という手口。十四人の主婦・老人から現金五十一万円を盗んだほか、病院帰りの老人から手提げ袋をひったくる際、引きずって倒し、全治八週間の傷害。処分。三人とも少年院送り。ゲーム・センターでカネを使い果たした末の犯行。

暴走族の対立・抗争――十六、七歳の少年三十人。Aグループが乗用車、単車十一台に分乗、深夜、スーパー・マーケット前で犬猿の仲のBグループを襲い、相手の自動車などを破損して多額の損害を与える。少年院送りと招致指導。

野宿者襲撃――中学生六人をふくむ少年八人。夜間、親が不在となる少年宅に毎晩集まり、無断外泊を繰り返し、不良交遊。浮浪者襲撃事件がマスコミの話題になったことから「オレたちもやろう」と相談。公園で野宿中の五十九歳に襲いかかり、殴る蹴るの暴行を加えて重傷を負わせる。身柄送致五人。書類送致三人。

区が出している『足立区憲章』にはこうある。

「足立区は、四方を川にかこまれた、歴史と伝統のある人情味あふれる東京の下町です……」

ここには、まさしく川や歴史、伝統も人情味もある。同時に、どの町にもある荒涼の風景が広がりつつある。

このあたりで少年時代を過ごし、今は別の町に事務所を持つ「組」の中堅幹部となった人物が語る。

「私も、子どものころ、あそこの警察にはさんざん世話になった。『またきやがったな』と、顔なじみになってしまった警察の旦那もいる。結局、何かのはずみで出会った仲間で、人生はきまってしまうんじゃないか。人のせいにするわけではないが、あのころ、私が別の種類の仲間と縁ができていたら、まちがいなくちがう道を歩いていたと思う」

綾瀬署管内の補導事例として、もうひとつ。「中学校荒し事件」(公共物破損)がある。

動機は、在校中に教師からたび重なる体罰を受けたことを根に持った少年たちの、復讐。中学卒業生グループ十人と、在校生一人が十数回にわたり母校の校舎に入り込み、窓ガラスを割り、校内に墨汁、マジックインキなどで落書き。消火器を教室や廊下にまき散らし、机を重ねてバリケードを作るなど、校内を荒し、授業不可能に陥らせる。六人逮捕。五人書類送致。

卒業生グループのリーダー格としてこれに加わっていたのが、一夫。処分は、保護観察。

　そのころ、彼は恋をしていた。

　昭和六十一年十月、高校の柔道部をやめた一夫は、柔道からのドロップアウトの憤懣と、授業についていけないいらだちで荒れ放題に荒れていた。他校の生徒と大立ち回りを演じたのを学校当局に知られ、無期停学処分。翌六十二年三月、自主退学のかたちで高校からも立ち去る。同じ町のタイル工事店で、タイル職人見習いの仕事を始めた。

　母親への暴力沙汰がひどくなる。肋骨を折り、顔に裂傷を負わせる。母親は泣いた。痛みのせいだけではない。幼いころからあれほど手を尽くし、思いをかけて育ててきた子が、どうしてこんなふうになってしまったのか。泣く母親に一夫は浴びせた。

「痛いか。オレのことを靴べらでぶったのを忘れたのか。万引きを先生に言いつけたろう。あれで、オレは先公に殴られたんだ。椅子でもやられたんだ。痛さがわかったか」

　そういう暴力の嵐が、すっとやむときがある。ひとつ年下の司郎の姉、中学校時代、同級だった娘といっしょにいるときだ。二人は、結婚を約束しあっていた。

十六歳同士のカップルは、いかにも若すぎる。親たちは、なんとか二人の間を分けようとしたが、結局、成功しなかった。当時の二人をよく知る人が語る。

——どんな組み合わせだったんですか。

「あのころ、一夫は柔道から疎外され、高校を中退し、非常にさびしい状態だった。そのときに、中学時代の同級生とつきあうようになったわけです。司郎のお姉さんにしても、一夫とのことがあったりして、高校を中退しなければならなかった。二人は、互いの傷をなめあっていたんですね。一夫は『大人たちが二人の仲を裂こうとしている。そんなことをやらせるものか』と非常な不信感があって、彼女を自分の部屋に閉じ込めて家に帰さない。彼女がくると、一歩も外に出さないという時期もありました」

——一夫はなかなかのハンサムだし、司郎のお姉さんもクリクリッとした顔立ちの、かわいい娘さんですね。

「狭い部屋のなかで手をつなぎ、見つめ合って『オレたち、愛しあっているんだ』と真剣に言う。ほんとうに真剣なんです。真面目に夢を語り合っていた」

——どんな夢を?

「『オレたち、十八になったら結婚できる。オレは、タイル職人の仕事に精を出す。

一所懸命にやるぞ。腕をあげて一人前になれば、この仕事で月に五十万、六十万だって稼げるんだ。それでカネを貯めて、お前を御殿のような家に住まわせてやる。ほんとうだぞ』などと……」

――なぜ彼女を家に帰すのをいやがったんですか。

「帰したら、どっかに隠されてしまうんじゃないか、と警戒していたんです。昼間、自分が働きに行っているときが一番心配なんです。どっかに連れて行かれるんじゃないかと。仕事場からひっきりなしに電話をかけてきたり、電話では気がすまなくなって、仕事の途中で帰ってきちゃったり。結局、間に人が入って、とにかく夜の八時までには帰すという約束ができた。で、帰すようになったんですが、時間のほうの約束はあまり守られていなかったようですね」

――その後、母校の中学校で暴れて捕まった。

「間に入った人のところに、鑑別所から『今度こそ真面目にやりますから、どうかぼくらを切り裂かないでください』『これを機会に別れさせようなんてしないでください』などと手紙を書いてきたそうです」

――ほんとうに本気だったんですか。

「真面目に働いて、なんとか二人で暮らそう、そのために努力しようと思い定めていたのは事実ですね。その気持に嘘はなかったと思う。ただし、一夫の生活が乱れて行ったために、思うようにはいかなかったが……」

——互いに頼りあっていた？

「そうですね。一夫はもう、信じることのできるものが何もない、という気持になっていた。母親は自分を大事にしてくれていない、父親は自分を見捨ててしまった、という思い込みがある。友だちも信用できなくなった。たったひとつの希望だった柔道も、駄目になっている。もう、なんにもない。

彼女のほうは彼女のほうで、父親はとうに死んでしまった。弟は、家でものを投げたりして暴れている。か細い体でそれを止めよう、なんとかしよう、自分で働いたおカネは全部家に入れて母親を助けようと、それはもうけなげにがんばっているんですが、ときに絶望的になることもある。しかし、一夫だけはやさしくしてくれる。自分を必要としている。それがうれしいんです。

二人は一度駆け落ちしようとして失敗し、ひき離されるんですが、それを乗り越えて、一夫の狭い部屋で隠れるようにしていっしょにいる。見ていると、二人の思いがよくわかる気がしましたね。『この世の中で信頼できるのはお前しかいない』『あなただけよ』という、十六歳の若さなのに、そのへんはもう、みごとなくらいでしたよ」

一夫は、惚れた女を「御殿のような家」に住まわせるために、家の近くのタイル施工業店でタイル工事の仕事を始めた。店の社長の長男が中学校柔道部の二年先輩、次男は同級生という縁で、二人の父親は一夫を中学生のころから知っていた。

社長は、中学校を卒業後、住み込み生活を五年間やってから独立して、現在の店を作った叩きあげである。一夫が働き始めて間もなく中学校荒しでつかまり、少年鑑別所に入るという事件が起こったが、鑑別所帰りの少年をクビにはしなかった。社長の法廷での証言。

「私も、この商売を二十何年やってきて、中卒や高校中退の子を何人も面倒見てきました。子どもたちの心が、ときに揺れることは知っています。私自身、中学を卒業したあと高校に行きたかったんだけど、親が貧乏で仕方なしにタイルの仕事に入ったんです。

中学校の友だちが高校を卒業するとき、なんかこう、自分一人が遅れちゃったような不安感が起こって、つとめていた店を勝手にやめて出て行ったことがあります。一週間くらい休んでいるうちに、自分にはやっぱりこの仕事しかないのかな、と思い直して、近所の医者に神経痛のニセ診断書を作ってもらって、それで店に戻った、なんて経験をしました。一夫にしても、高校を中退して、いろいろなことで心が揺れて、同じ年ごろのときの自分みたいに、心の準備をしているんじゃないかな、と思ったのです。自分自身、高校出た人に負けたくないと、独立することに執着心を燃やしてやったんですから、一夫も、早くはたちになって、そういう気持になってくれればと……」

社長によれば、鑑別所から戻ってきたのち、一夫の仕事に取り組む態度が変わった。以前は、仕事の段取りも勝手もわからず、ボーッと立っていることが多かったのに、現場に出ると、段取りの先々を見られるようになった。先を読んで、言いつけられる前に自分から行動する。社長に連れられて行った現場で、社長に急用ができたとき「あとは頼む。タイル、貼れるな」とまかされることもあった。

その間も、母親に対する暴力が続く。夜、社長が飲んでいるところに妻から電話があって、

「一夫が家で暴れているんだって。お父さん、行ってやっておくれよ」

と頼まれ、大急ぎで一夫の家に走ったことがある。すでに騒ぎは終わっていて、社長が、

「早く寝ろ。明日の仕事は早いぞ」

というと、一夫は静かに「はい」と答えたという。

ある日、社長と一夫の二人が「組」の幹部宅の工事に行ったとき、その家にいた若い者が、一夫に声をかけてきた。かつて、同じ暴走族に所属していた仲間だった。

「おい、一夫じゃねえか」

「やあ、ここにいたのか。元気か」

二人のやりとりを聞いていた組の中堅幹部が、一夫に言った。

「お前さん、こんな世界に入っちゃあいけないよ。そうやって、どろんこになって働くのが一番さ。真面目にやったほうが世の中は楽しいんだ。こういうところには、面白いことなんかなんにもありはしねえぜ」

言われたほうはピンとこない。意見をする男の腕には、金のローレックスが輝いている。大きな金の指輪にブレスレット、ネックレス。

《こんななりをしていて、何が面白くないというのか。カネ回りもよさそうなのに……》

一夫は「真面目に働く」という一点に異議はなかったが、男がそれ以上の何を言いたかったのか、言葉の意味がよく理解できなかった。

一夫の話。

――鑑別所から出てきて、真面目に働くようになったんだな。

「はい。その前はまだ暴走族をやっていましたから、夜更しをしていたし、仕事をしていても、何をやっているんだか、よくわかりませんでした」

――タイル会社はどんなふうだった？

「会社というより、家族で仕事しているみたいで、とてもいい感じでした。給料日には、みんなで集まってお酒を飲んで寿司を食べて、一か月の苦労を話し合う。あれが一番よかった」

――だんだん仕事が面白くなってきたね。

「仕事の内容がわかり始めてきましたから」

――職場にはどんな人がいた？

「ベテランの職人さんが三人。一人は女で失敗した人。一人はギャンブルで、社長だったのに会社ごと取られてしまった人で……」

――人生のお手本みたいな人たちだったんだな。いろいろ話を聞かせてもらったのか。

「遠くに仕事で行った帰りに、人生がどうやって狂ったか、そこからどのように立ち直ったか、とかいう話をしてくれました」

――どう思った？

「同じ失敗をしちゃいけないな、と思いました」

――仕事先で、もとの暴走族仲間で、やっぱり働いている人に会ったりしたことは？

「塗装関係なんかで働いているのがいました」

――彼らはどんなことを言っていた？

「仕事がつれえとか、暴走族やってたころのほうが楽しかったとか。暴走族が解散したからヤクザになりたいという話が必ず出るんです。それを聞くたびに『こいつら、かわいそうだな』と思いました。（ヤクザの使い走りは）ポケットベルなんか持たされて、ベルが鳴ったら事務所に戻らなけりゃならないんです。そういうのが、かわいそうだなと……」

――司郎君のお姉さんとは？

「彼女のほうから『十八歳ではまだ給料も安定していない。二十歳になったら結婚しよう』と言われていたし、結婚生活を始めるには、最低でも一日一万円はもらわないと生活できない。なんとか早く仕事を身につけるよう、そのためにがんばろうと……」

――この仕事で一人前というと、自分でタイルを貼れるようになることだね。

「そうです。職人さんから『やれ』と言われた仕事をできるだけ早く終えて、職人さんのやることをずっと見ていました。一人、この世界では名人と言われる人がいて、普通の人が二日かかるところを一日で終わらせてしまうんです。その人のようになれば、自分も二倍の給料をもらえるようになると計算して、その人のテクニックを身につけようといつも見ていました。会社というと、上の人が下に向かっていろいろ仕事を言いつけるという感じですが、あの会社は、そういうんじゃなかった。職人さんも自分のことを同格みたいに扱ってくれました。まちがったことをすれば、怒るのではなくて叱ってくれたし……」

——そういう会社にずっとつとめて、一所懸命に働いて、それで司郎君のお姉さんと結婚できればよかったんだけど、きみはそうじゃない道に走ったね。

「はい……」

——何が一番いけなかったのだと思う?

「やっぱり、自分が一番いけなかった」

——どういうところが?

「あの人(生花店経営者)から『一日三万円やるぞ』と言われて、その気になってフラフラとついて行ったことが……」

職人衆の使い走り、下働きで終わるのならいざ知らず、タイル施工の仕事で一人前をめざすからにはどうしても自動車の運転免許がいる、一夫はそう考えた。材料や道具を積んだ車を自分で運転して現場に行き、名人芸で仕事を仕上げるのだ。社長は、

「運転免許を取ったら？　そうだな。今は一日五千円か。免許を取ったら、六千五百円、いや、七千五百円に上げてやろう」

と言った。

六十三年四月、社長から休暇をもらい、両親の了承も得て、一夫は長野県茅野市にある自動車学校の合宿に入った。弁護人が最終弁論でこう書く。

「この合宿中に、遊び人、暴力団員と出会ったことなどがきっかけとなって、酒、麻雀で日々を過ごし、一気に遊びへと傾斜して行きました。

六月の初め、東京に帰ったのち、ペーパー・テストを受けなければなりませんでしたが、会社にはテストを受けに行くと言ってずる休みをしたことが何度もあり、テストに合格して免許を取得したのは七月末ころでした。この間、被告人は毎日のように酒と麻雀にうつつを抜かしていました。

他方、車の購入についてみますと、被告人の保護観察を担当していた保護司が外車

に趣味があり、被告人に自分の外車を九十万円で売ってやると言っていたことがあります。この外車購入話が被告人の夢に拍車をかけた。被告人の父はこれに反対し、日産シルビアの新車を買い与えました。

七月末ごろ、ようやく被告人は免許を取得したものの、その間、長期間仕事を休んでいて、なおかつ戻ったあとも欠勤が多かったため、社長は五百円しか給料を増額してくれませんでした。この被告人の勤務態度を見れば、その五百円の値上げ幅は、なんら責められるものではありませんが、被告人の立場からは、その約束違反が許しがたいものに感じられたのです。『裏切られた』という思いが不信感を増幅させ、合理的判断力を失わせました。

間が悪いことに、こうした時期に、被告人は極東系の暴力団幹部とのつきあいが深まり、これに取り込まれていきました」

同じくだりを、判決文ではこうのべている。

「六十三年七月、父親にねだり新車を入手してからは、暴力団極東組傘下の某の強引な誘いに乗り、花屋の店番や、街頭での花売り、暴力団組事務所の当番等の仕事を押しつけられ、これに所属する大人らに取り込まれ、そのころからシンナーの吸入を反復するようになった」

最終弁論、判決文のなかで「暴力団幹部」と名指された人物は、法廷に証人として立ったとき、弁護側の質問に答えて大要次のようにのべている。

昭和二十二年生まれ。東京・銀座のニュートウキョウ前、銀座ライオン前、泰明小学校前などで生花の露店を営んでいる。十年ほど前までは「極東関口一家」にいた。S組の組長はかつての「兄貴分」で、今現在でも「兄貴と思っている」。「内縁関係」の女性の娘と一夫が同級生だった縁で知り合った——。

インタビューに答えてこう語った。

「私はたしかに、あの辺（銀座）のニワ（縄張り）を束ねている。ああいうところには、いろいろ怪しい人間も入り込んでくるので、それを排除する、といったこともやっている。

しかし、もう十年近く前にヤクザはやめた。今は堅気だ。それが証拠に、自分の使っている若い者が事件を起こしたら、当然、組から処分を受けるはずだが、私は（組とは関係のない堅気だから）そういうこともなく、こうして無事に仕事を続けている。もちろん（一夫らが犯した）あのことがあったあと、ニワの親分衆には挨拶に行ったがね。

一夫は、私の義理の娘と小学校の同級生で、近くに住んでいるし、店を通りがかるたびに挨拶をしていたので、顔は前から知っていた。私の家で飼っている犬が病気になったとき、一夫が病院に連れて行ってくれたことがあり、それ以来、親しくなった。

六十三年の夏、会って『どうしている』と言ったら、タイル会社をやめてブラブラしているという。それならオレが仕事を世話してやろうと、新宿の仕事（露店手伝い）を紹介してやった。ウチの店で働いたのは、十二月になってからだ。次郎や三雄、司郎たちもいっしょだったが、実際に銀座で働いたのは三日間くらいだったのではないか。ちょうどクリスマスの書き入れどきで、司郎なんか『水を汲んできてくれ』と声をかけると、寒いさなか、いやな顔もしないで働いてくれた。

私は、一夫の父親代わりになったつもりだった。向こうもそんな気になっていたようで、私を『オヤジさん』と呼んでいた。

いつだったか、一夫のシルビアに乗ったら、ビタミン飲料のビンがあったので『一本もらうぞ』と言うと『ダメです。なかに入っているのはシンナーなんですよ』と言う。『そんなもの、やっちゃあダメじゃないか。二度とやったら、オレが動けなくなるほどとっちめてやるぞ』と厳しく叱ったことがある。一夫はすなおに『ハイ、わかりました』と言っていた。

『夜、眠れないので睡眠薬をやっている』と言ったときも『若いものがそういうもの使っちゃいかん』といさめておいた。店の若い者が『きのう、ナンパしてマワシちゃった。女なんて、結構喜ぶもんだな』なんて言っているのを小耳にはさんで『バカなことをするんじゃない。盗み、強姦は男の恥だ』と強く叱りつけたこともある。

あの事件のあと、一夫や次郎、三雄などが仲間をリンチしている現場を見かけた。私も以前、傷害（事件）をやったことがあるからわかるのだが、首を絞めたりして、あれは尋常なやり方ではなかった。『お前ら、そんなことをしていたら、ほんとうに死んでしまうぞ』と言ってやめさせた。

店の若い者は『一夫ってのは、つっぱっているけど、気が小さい』などと言っていた。ただ、この地元で私の名を出せば、たいていのもめごとも丸くおさまる。そういう人間の下で働いている、ということで、一夫の気が大きくなってしまったのかもしれない。影響を与えたという点では、私にも責任があるんだろうな……」

花屋の仕事を始めた経過、その後の成り行きについて、一夫は法廷で弁護人の質問にくわしく答えている。

――あの人（生花店経営者）に取り込まれるようになったときのことなんだけど、あれは六十三年の八月二十五日？

「そうです。同級生だった女の子から『ウチにきてよ』と電話があり、行ったら、あの人が入ってきて酒をつがれ『飲め、飲め』ということになりました。『お前（タイル会社で）給料いくらもらっているんだ』と言うから『一日六千円か六千五百円くらいです』と言うと『オレの手伝いをすれば三万円やる』と言った。お父さんは昔から『就職と結婚は大事なことだから、よく考えてからやれ』と言っていた。で『彼女（司郎の姉）に相談します』と答えると『男のやることをなんで女に相談する。男なら自分できめろ』と……」

——そう言われた？

「結構飲まされて、自分は酔っぱらって寝ちゃったんです。朝起きたら『これからシマを回る』と言うのでついて行ったら、銀座とかで『これは、オレの実子分の一夫だ』といきなり紹介され、相手の名刺をいっぱいもらってしまった。そうなるともう『今考えているところです』なんて言えない。まあ、いいや、と思って……。一日三万円もらえるのは難しいことだとも考えました」

——ズルズルとそういうことになって、ものを売るようになった。

「最初は（ブランドものの）にせもののポロシャツです。新宿で」

——そういう仕事をやめたいと思うようになったのは？

「一週間もしないうちに。三万円と言っていたのに三千円しかくれなかったり、あの人の系列の人が、ぼくの貯めているカネに目をつけて『カネ貸せ』なんて言ったりするので……」

――きみは（捕まった）最初のころ、あの人のことをかばっていたね。なぜ？

「次郎君と三雄君が捕まったとき、あの人が『オレがお前たちの年を知っていて働かせていたことがわかると、児童福祉法にひっかかるから、警察で、年齢のことやオレのことはなるべくしゃべるな。組関係のこともだ。花の配達員をやっていたと言え』と言われていたので……」

――それで私（弁護人）と面会したときにも嘘を言っていたね。

「はい」

――やめたくなったのに、なぜやめなかった？

「やめられなかった」

――どうして？

「『やめたい』と言うと、あの人やその下の若い人にレストランとかクラブに連れて行かれて飲まされちゃう。そうすると『やめます』とは言えなくなる。自分は酒乱で、酒を飲むとわけがわからなくなっちゃうんです。朝になって後悔して……。何度かそういうことがあった。で、八月ごろからシンナーを始めました」

――なぜシンナーを?

「現実から離れようと。あの人から逃げたいが、絶対に逃げられない。指を取られるのを覚悟して『やめたい』と言いに行ったこともあったんですが……」

――あの人が怖かった?

「はい。よく、指を取ったとか話していましたから……。言いわけになっちゃいますが、逃げたいが逃げられないという気持とシンナーで、わけのわからない状態になっていきました」

――かなり乱れていた。

「はい。一日一日がつまらなくて。夜中に働いたり、昼間に仕事したり、生活がめちゃくちゃになって彼女と会う時間もなくなった。そのうえ、おカネが入ってこない。タイル会社で働いていたときには、一日一日が楽しくて、早く明日になって、また仕事がしたいな、という気持だったんですが、あの人のところで働いているときは、もうシンナー吸っている間がすごくよくて、あと、次郎君たちと強姦とかしているとき、そういうめちゃくちゃなことをやっているときが、なんか生きているという、変なふうな生き甲斐を感じるようになってしまった……」

――九月ごろには、あの人に連れられてフィリピンに行っているね。

「ブランドもののポロシャツのにせものを作っている工場があっちにあって、それを日本に持ってくる。それを本物と言って売る」

――そういう犯罪グループに入っていたんだな。

「はい」

――組の忘年会を仕切る仕事もやらされたね。

「会長や組長とかがきた会です。そのとき、会長に挨拶させられました。あの人に『なんとか組若者なになにです。よろしくおたの申します』と、ヤクザの挨拶みたいなことを言え、と言われてそのとおり言いました」

タイル職人の名人になる夢は、すでに消えた。正確に言えば、みずから捨てた。愛し合った娘との結婚生活に強く執着していたら、自動車教習所で遊びに溺れ、東京に帰ったあともなお、そういう生活を続けてはいなかったはずだ。

高校柔道部からドロップアウトした経過を運動部ふうにいえば「根性がなかった」ということになる。先輩のしごき、理不尽な圧力は運動部社会の必修課目とさえなっている。彼はそれに耐えることができなかった。

同様に、せっかく始めた職人修業の道からも外れた。これまた、職業人の世界では

「意志が弱い」の一語で片づけられる。

ただし、そういう常套句でくくってしまうには、このターニング・ポイントは少年にとって意味が重大すぎた。少年だけではない。のち、その唾棄すべき犯罪の被害者となった女性、両親たちにとっては、自分自身になんの咎もなかったのだから、それこそ、恨んでも恨みきれない曲がり角となった。

「あの人」は、法廷でも「現役の組関係者ではない」と証言した。それでは、現役の組関係はどういうことをしているのか。

いかなる組織といえども、常に新人を補給しないことには組織を維持できない。「組」と呼ばれるところでは、どのようなリクルート活動をやっているのか、を東京のさる町に事務所を構える「組」の幹部に聞いた。

――新人採用のやり方は？

「町でブラブラしているのに声をかける。つっぱりとか番長、やはり暴走族関係が多いのではないか」

――組に入らないか、と？

「いや、はっきり話をするわけではない。要するに、声をかける、ということだ。しかし、かけられたほうは、それで自分のバックに強い者がついてくれたと思い込み、その筋の人もいろいろともちあげるし、とたんに気が大きくなってしまうようだ。今までやっていたわるさを続けるうえで、バックが欲しかった、という気持もあるだろう」

——組としては、そうやって声をかけた連中に、バカな警察沙汰を起こされたら困るのではないか。その辺の「生活指導」を組としてはやらないのか。

「ハラがすわっていて、忠実で、というあたりを見て声をかけるのだが、今は、これはと見込んでも、実際にものになるのは、十人に声かけて一人いるかいないかくらいだろう。一人一人のやることに、そうそう干渉しきれるものではない。事件を起こすと『ムチャはやるなよ』と叱りはするが、それ以上にはいかないんじゃないか。第一、最近の若い連中の感覚がまるでちがってきている」

——どんなふうに？

「かつて、この道を志す者には『男に惚れる』ということがあった。組に入っても、ほんのタバコ銭くらいで一所懸命に働く。今はそうではない。初めに打算があって、いくらになるか、が先に立つ。相手に相応のことをしてもらえないと、尽くそうとはしない。そういうご時世だ」

――変わった？

「変わった。組との縁ができると、われわれの若いころには想像もできなかったほどの無鉄砲なことをやる。よそで聞いた話だが、どこかの組の事務所の前に若い奴らが車や単車で集まってきて、道路にたむろして騒いでいた。事務所の人間が出て行って『静かにしろ。あっちに行け』と追い払ったところ、次の晩、その連中が押しかけてきて、ビールびんを投げ込んで窓ガラスを割って逃げたそうだ。れっきとした組の看板の出ている事務所の窓ガラスを、だよ。逃げ遅れた奴をつかまえて、みっちりお仕置きをしたら、すぐ、さる組から『どうしてくれる』と話がきた。上同士で話をつけて丸くおさまったと聞いたが、われわれには、そんなことはとうてい考えられなかった。正式な構成員ではない、言ってしまえばしろうと同然の若いのが、組に殴り込むとはねえ……。そういう連中は、ムチャをやるバックが欲しいんだな。バックがついてくれたと見ると、怖いものがなくなってブレーキがきかなくなる」

――とにかく、そうやってご縁ができて、新人を確保できる。

「ほかに打ち込めることがなくて、わけがわからぬまま、鬱憤ばらしをしたがっているんだろうなあ。なんかを恨んだり、怒ったりしているというか。それからもうひとつ。今の子どもたちを見ていると、小学生、中学生、高校生、みんなそれぞれが孤立していて、お互い同士、まるで話が通じなくなっている。先輩の路線に一応従ってみる、そこで先輩たちのチエを学ぶ、ということがない。だから、それぞれのグループがとんでもない暴走をしてしまう。二、三歳ちがうと、もうプッツリ切れている。広い人間関係が作れず、ごく小さなグループに集まって、わけのわからぬ方向に突っ込んで行く」

——同じワルでも、あるところで自分を救う者と、それができずに破滅して行ってしまう者とがいる。いったい、どこで道が分かれるのだろう。

「どういう仲間がそばにいるか、それに本人の性格の問題なのかなあ。自分自身、中学生のころはさんざんワルをしたが、今の子どもたちのことはほんとうにわからない」

高校柔道部で挫折し、職人への道も見失い、あげく「おたの申します」と言わされた一夫は、以後、凄まじい勢いで破滅的な行動に突入して行く。その一夫の周辺に、現役組幹部の言う無経験、無思慮の小さなグループが形成される。彼らを結んでいたのは、本人自身気づいていなかった憤怒。

精神医学の分野に「境界例」（ボーダーライン・ケース）あるいは「境界状態」（ボー

ダーライン・ステート)、「境界例症候群」(ボーダーライン・シンドローム)という言葉がある。心因疾患である神経症と精神病、とりわけ分裂病との境界、そのどちらとも見きわめにくい症例を、こう呼ぶ。精神医学の定義からは、はなはだしく逸脱するが、複雑な性格障害も「病」とスレスレの境界をさまよっているように見える。

アメリカの臨床精神医、ジェームス・F・マスターソンは、その著書『青年期境界例の治療』(成田善弘・笠原嘉訳)でこう書いた。

「精神医学における六人の黙示録の騎手——抑うつ、怒り、恐れ、罪責感、孤立無援感、空しさと空虚感——は、感情的影響力と破壊性という点で、もともとの四人の騎手——飢餓、戦争、洪水、疫病——のもたらす社会的混乱と破壊性に匹敵している。『見捨てられ感情』という言葉は、患者の精神内界の体験に、つまり、患者が現に環界(外部の世界)でおこなった別離について感じるところに関係している。外界の体験が結果として『見捨てられ感情』を招くかどうかは患者の精神によるのであって、当の体験そのものによるのではない。『見捨てられ感情』は多因子的な精神内界の反応、すなわち『六人の騎手』から生じてくる」

「見捨てられ感情」(フィーリングス・オブ・アバンダンメント)は、ひとつの感情からではなく、六つの感情の複合体からなる、とマスターソンは定義する。

まず抑うつ。そして見捨てられるという恐れ。自分の考えや願望、感情、行為についての罪責感。受動性と孤立無援感。恐ろしい内的な空しさ、空虚感、あるいは麻痺感。

そしてもうひとつ、憤怒。マスターソンが続ける。

「精神療法のなかでの患者の怒りと憤怒の強さ、その現れてくる割合は、抑うつの強さと平行する。患者が抑うつ的になればなるほど、怒りも強くなる。憤怒の内容は、はじめ、かなり漠然としており、しばしば、現在の状況のうえに投射されている。患者の感情の記憶が戻ってくるにつれて、憤怒はだんだん母親との関係に集中されてくる。そしてついに谷底にいたると、自殺したくなるような絶望と平行して、母親に向けられた殺人空想や殺人衝動が起こる。このように憤怒は、精神療法の諸段階を通じて、抑うつと平行し、抑うつの伴侶である」

世間のほとんどの親たちは「せめて高校は出ていないと……」と考える。そして、五人のうち三人あるいはそれ以上が「とにかく大学に……」と期待する。どんな分野であれ、抜群の才能を持つ子なら、高校も大学も必要はない。中学を出てすぐ、職業や創作・表現活動に入り、早いスタートを切ったほうがいい。

問題は、人並みもしくはそれ以下の子どもたちだ。才能や積極的な挑戦心、向上心がないまま、学歴なしで社会に出て、その後に続く人生のことを思うと、親たちは戦慄する。落ちこぼれであるならなおさら、なにがなんでも高校、大学に押し込まないことには、不安でたまらない。子の将来がただただ暗黒に見える。

　中学、高校側も、そうした親たちの恐怖を解消するために、生徒をむりやり押し上げることに全力を投入する。中学校および中学教師の評価は、何人の生徒を進学名門高校に入れたか、できまり、高校の場合はもちろん、有名大学への進学率で評価される。この作業を効率的に進めるために偏差値が用いられ、それによって生徒は「進路指導」という名のふり分けを受ける。

　したがって、就職希望者や落ちこぼれにまではなかなか教師の手が回らない。とにかく義務教育の卒業証書は出す、だから、在学中はなるべく静かにしていてくれ、場合によっては学校に出てこなくてもよい、というのが、日本全国の中学教師たちのかなりの部分に共通する願いだ。

　この押し込み、押し上げ作業から外れた者には、意識のあるなしにかかわらず、深い恨みが発生する。

「オレ、勉強なんかきらいだから……」と言いつつも、人生のスタート・ラインにおいて教育・学校エスタブリッシュメントから「見捨てられた感情」は、皮膚の下に深く鋭い傷となって残る。在学中、悪徳問題教師にいかにいじめられても、東大進学コースの高校に入学した者が、母校の中学に報復攻撃をかけることはない。

同じような家庭環境に育っても、東大に進んだ者は「性格の悪いエリート」となり、中学で挫折した者は、ときに爆発的な非行に走る。両者の行動を分ける「境界線」は、実はさだかではない。

しかし怒りは、見捨てられた側にのみある。憤怒は、偉大な王国を作ることもあるが、アバンダンメント・シンドロームの子どもたちのそれは、しばしば破壊的、破滅的行動となって表現される。

昭和六十三年夏、得体の知れぬ憤怒をもてあます一夫が、一種言いようのない鋭利な嗅覚で仲間たちをかぎ出す。次郎、三雄、司郎の三人である。いずれも同じ中学出身で、高校ドロップアウト。

次郎が法廷で語った。

――一夫君のことは、いつごろから知っていましたか。

「名前は、小学校のころから知っていました」

――どんなぐあいに？

「ぼくたちの小学校に、木刀とかヌンチャクを持って殴り込みにきたり……」

——同じ中学校に入ってからは？

「先輩（一夫のこと）が一級上の先輩とケンカして、植木鉢を持って追いかけ回した、ということを聞きました」

——それでどう思った？

「怖いと思いました。中学二年くらいのときに、二回くらい脅かされたり殴られたりしたことがあります」

——きみの友だちが何かされたことはありますか。

「挨拶しないということで、トイレのドアのガラスに顔を突っ込まれたことがあります」

——六十三年の夏ぐらいから、一夫君がきみたちといっしょにいるようになりましたね。きっかけは？

「ぼくが麻雀に誘われて、借りを作って……。その後何回か電話があり、その借金を返してからもまた電話がしつこくありました」

——電話はどんなふうに？

「ぼくの仲のよかった友だちの名前を使ってかけてきました」

——偽名を使って？

「そうです」

——中学生時代は怖かったと言ったけど、そうやってつきあうようになってからは？

「何をされるかわからないとか、怖い気持は変わりませんでしたが、話が面白かったし、ぼくたちの知らないことをいっぱい知っているので……。ぼくは、すごい人だと思います」

——それまでは、きみがリーダーだったね。

「ぼくの体が大きかったのと、ぼくがいろいろ（どこで食事するかなど）きめてましたから。しかし、先輩がくるようになってからは、先輩がリーダーになって、全部きめていました」

——きみは、一夫君にジッポ・オイル（ライター用オイル）を腕にかけられて、火をつけられたことがありますね。何回くらい？

「回数はわかりません」

——そういうことをいっぱいされたので、一夫君のことはけっして好きではなかった？

「はい」

――でも（ある人に）一夫君に対しては、憧れの部分があったと言ったことがあるでしょう。

「はい。好きなところのことを話していたら……そうなってしまいました」

どこにも出口が見つからず、テキ屋商売をいやいやながらやることになった一夫は、新しい配下を指揮して、猛然と行動を開始した。ひったくり、盗み、強姦を次々に繰り返す。

のちに起訴されたものだけでも、軽乗用車を盗む、洋服店の窓ガラスを破って侵入、ジャンパーなど合計百五十点、二百万円相当を奪う。強姦数件、ひったくり七件などなど。

同じ年、名古屋では二十歳になったばかりの男と、十七歳から十九歳までの少年少女計五人が、凄まじい怒声をあげ、木刀を振るってアベックに襲いかかっていた。福岡では、十七歳から十九歳までの少年四人が「ワシら、どうせこれから先、たいしたことはなかと。つっぱるだけつっぱるばい」と言い放つリーダーの指揮下、峠道で顔見知りの少年にガソリンを浴びせ、火を放って焼き殺した。

共通するのは、途方もない憤怒。しかも、憤怒の塊を点検すると、奇怪なことに

「愛」の細かな粒子がキラキラと光っている。

東京、名古屋、福岡に展開している愛情物語。その物語を語って聞かせる六人の騎手――。

第四章

身勝手な恋人

この事件の裁判では、被害者や被告人の親、兄弟たちに対する証人質問は、証人側の意向があればプライバシーを考慮して法廷外、つまり傍聴人のいないところで行なわれた。しかし、次郎と三雄の両親は、公開の法廷で証言している。証言席につけば、マス・メディアをふくめた傍聴人の前にいやでも顔をさらさなければならない。顔を知られたのちも法廷に通ってくるのは、ひどい苦痛のはずである。しかし彼らは、そのように申し立てれば出ないですむ公開の場所であえて証言し、そのあとも、自分自身に苦役を課すようにして東京地方裁判所に足を運び続けた。報道陣のほうは、そういう親たちに暗黙のうちに心を配り、彼らと視線を合わせるのも避けるようにしていた。ここには「なにかひと言、感想をひと言だけ」と追いすがるテレビのレポーターたちもいなかった。

三雄の母親はいつも開廷直前にやってきて、入廷前のわずかな時間、廊下をはさんだ向かい側の法廷の入口、廊下からなかに入ったところに身をひそめるようにして開廷を待った。傍聴席では、一番後ろの席につき、裁判長に正対する息子の後ろ姿を見つめる。審理が回を追うごとに、母親の姿は小さくしぼんでいくようだった。

次郎の両親、とうに離婚したかつての夫とかつての妻が証言したのは、平成元年十一月二十八日。裁判長は、二人をいっしょに証言席につかせ、宣誓をさせたあと、こう告げた。

「被告の教育の問題、家庭の問題などについて質問があります。ちょっと人前では言いにくい面もあるかもしれませんが、今回の事件で必要と判断したことは、できるだけほんとうのことを話してください。無理にということはありませんが、とりつくろったことを言われても、詳細についてはすでに裁判所のほうに書類も出ていますから、それを踏まえて証言してください」

なにもかも、人前では言いにくいことばかりにきまっている。姿を見せるだけでさえ、身を切られる思いのはずだ。だが、二人はそれを承知で裁判所にやってきた。

まず、母親が証言席に進み出た。四少年のなかでもっともがっちりした体格で背が高く、身長一メートル八〇センチほどの息子とちがって、小柄。月に二回、多いときには四回、五回も審理が行なわれたから、何回も会ううちに、被告人の肉親は顔立ち、体つきでそれと想像がつくのだが、この女性があの息子の母親とはちょっと見えない。

午後二時から約一時間にわたって弁護人、検察官、裁判官の質問に答え、三時五分、休廷。三時半に再開し、父親が証言席に着く。息子同様、背が高い。だが、事件以後の心痛のせいか、後ろ姿はやつれて見える。

口調はやわらかいが、弁護人が容赦のない質問。

――結婚してからの夫婦仲はどうでしたか。

「初めは、やっぱり仲のいい夫婦になっていました」

――初めは、というと？

「結婚して何年かは仲がよかったということです」

――途中で仲がよくなくなったということですか。

「そうです」

――具体的にはどういうことなんでしょう。

「私が、会社のつきあいとかでちょっと出かけると言ったりすると（妻が）口うるさく言うので、だんだんそういう雰囲気になってきました」

――奥さんからいろいろ言われるのが、だんだんいやになってきたということですか。

「そうです」

――次郎君が生まれてからあとのことですか。

「生まれたあとかもわかりません」

――要するに、結婚して三年目くらいから？

「ええ」

――つきつめて考えれば、結局、何が一番の原因だったと思いますか。

「彼女の嫉妬心だったと思うんですが……」

――いま現在いっしょにお暮らしの奥さんですが、その方と知り合ったのはいつごろですか。

「私が二十七、八のときです」

――どうしてつきあうようになったのですか。

「たまたま、ぼくが家庭をいやになってきたのとちょうどぶつかって……」

――そういうときに、たまたま新しい女性が現れたということですか。

「そうです」

――あなたから見て、どういう性格の女性ですか。

「明るくて、愚痴もこぼさず、自分の仕事には口ひとつ出さずにやってくれます」

――あなたに対して、いろいろ言ったりしないということですか。

「そうです」

――あなたが家を出たのは、次郎君がいくつくらいのときのことですか。

「小学校一年になるかならないかのときです」

――すでに二人のお子さんがいる。家を出るにあたって、お子さんたちのことは考えなかったのですか。

父親はちょっと間を置き、そして答えた。

「それを考えたら、自分が一生ダメになると思い……忘れました」

静かな法廷が、さらにシーンとなった。父親というより、一人の男の言葉の重さが傍聴人の胸にしみ込んでいく。

人間は、何度同じことを繰り返せば気がすむのか——この父親の父親もまた「子を忘れる」ことにした一人だった。


次郎の母親となる女性は、昭和二十年九月、東京で生まれた。三人姉妹の末っ子。母親は父親の籍に入っていない。父親には別に妻子があった、と証言している。

「生活は、最初のうちは恵まれていたが、最後のほうは食事もろくにできないということもあった。修学旅行にも行かれなかった。（自分の）母親は、人の前に出るのがきらいな性格だったが、子どものしつけには厳しく、礼儀作法、世間の常識にうるさい。どちらかといえば、口やかましいと言っていいほうだった。

自分自身は、子どもに対ししつけが厳しいほうだったと思う。かなり常識的と思えるような礼儀作法についてうるさかった。自分自身の性格は、すごく弱いのだが、表面的には強く見せている面があると思う」

とものべた。

高校を卒業、都内のデパートで働いていたころ、職場の先輩のデートについて行ったとき、先輩の連れからひとつ年下の男性を紹介される。彼女が十八歳、彼が十七歳。三年あまりあとの昭和四十二年九月、新郎二十一歳、新婦二十二歳で結婚し、六畳・三畳ふた間の都営住宅に新郎の母親といっしょに住む。妻は勤めをやめたが、その代わり、洋裁の内職を始めた。

次郎の父親が証言する。

——あなたの兄弟は?

「男四人、女三人の七人兄弟で、私は末っ子です。一番上とはだいぶ年が離れていて、今はもう六十歳くらいだと思います」

——あなたの子ども時代に、印象的なことはありましたか。

「ぼくが小学校二年生のときに、やはり、お父さんとお母さんが別居しました。ぼくは、母親とすぐ上の姉に連れられて、家を出ました」

——お母さんが下のお子さん二人を連れて家を出られた、ということですね。

「はい。上の子どもはもう成人になっているのもいたし、ぼくら二人はまだ小学生だったから連れて行ったのだと思います」

——お母さんが家を出た原因はご存じでしたか。

「いいえ、まだ小学校二年生だったのでわかりませんでした」

——三人暮らしになってから、お母さんは何をしておられましたか。

「ビル清掃の仕事をしていました」

——どんなお母さん？

「頑固で、気が強いお母さんです」

——お父さんとは？

「たまに、ぼくのほうから会いに行きました」

——あなた自身はどんな中学生でしたか。

「やっぱり非行グループの一員のようなときもありました。ケンカ、たばこなどです。しかし、万引きのようなことはいっさいしませんでした」

——ケンカをして過ごした中学時代を今ふり返ってみると、どう思いますか。

「非行に走らなければ、それも青春だと思います」

——クラブに入っていましたね。

「野球部です。プロ野球の選手になりたいと思っていました」

——でも、中学を卒業してすぐ就職していますね。どうしてですか。

「母が、都立でなければ高校にやれないと言われましたが、ぼくには（都立高校に行く）学力がないので、それでやめました」

――野球を続けようとは？

「思っていましたけど、それも崩れました」

――卒業して？

「荷物を運ぶ、そういう仕事をする会社に就職しました。現在も勤めている会社です」

小学校二年で父と別れた。十五歳のとき、相応の挫折も経験した。しかし、職業についてからは、ただの一度も転職せず、律儀にまっすぐな道を歩き続けた。その末に今、法廷の証人席などという、律儀でまっとうな人物なら一生無縁で過ごすはずの場所に身を置いている。

母親は、弁護人から「あなたは子どものころ、どのような家庭を持とうと考えていたか」とたずねられて、こう答えた。

「お父さんとお母さんがいて、子どもの成長を見守る家庭です……」

平凡な、とは誰にも言えない。無傷で平凡な家庭であり続ける、それだけのことが、なかなか難しくなっている。それが、遠い星の輝きのように見える人々もいる。

次郎の両親の親たちがそうだった。そして、両親自身も同じことだった。

次郎が生まれて間もなく、それまで、家と会社を正確な時間表どおりに往復していた夫の行動が不規則になり始める。

「今日はちょっと遅くなる」

と電話がかかってきて、あとで会社に電話してみるともう会社にはいない。帰宅後、問いつめると「実は、会社の事務員と食事に行っていた」と言う。妻が声高に問いつめる、夫が言い返す。事態はあっという間に悪化した。

夫婦の言い合いが、寝ている子どもたちを起こしてしまう。父親の怒声。母親の涙声。幼い子にも、わが家に何か好ましくないことが進行しているとはわかる。やがて、父親が外に泊まることが多くなり「お父さんとお母さんがいて、子どもの成長を……」という家庭がもろくも崩壊に向かって行く。

次郎が小学校に入学する直前、外泊から帰ってきた夫と妻の間でいつものように険悪なやりとりがあり、夫はパッと家を飛び出す。そのまま、二度と帰らなかった。

知人の話。

「仕事の得意先の招待か何かで、ハワイに行った。それが転機になってしまったようです。きまった時間に家を出て、きまった時間に帰ってくる。それをなんとも思わない時期もあったのだが、狭い家に大人三人、子ども二人の五人住まい。妻は何かと口うるさく、自分の行動をことあるたびに問いつめてくる。そういう圧迫感がだんだんと我慢ならなくなってきた。そのとき、ハワイでのびのびと明るい世界を見て『オレの一生はいったい何なのだ』と考えてしまったのでしょうね。

世間の人は『二人の子どもがいるのになんと勝手な』と非難するだろうが、このままではずっと縛られた人生になってしまう、なんとかしなければ死んだも同然の生涯を送ることになる、という切迫感は、理解できるような気がする。子どものことは忘れた、と言っていましたが、そうとでも決心しないことには、家を出ることはできなかったでしょう」

離婚。家庭裁判所の調停を受け、父親が子どもの養育費として支払う金額として定められたのは、月に四万円。当然、それだけでは母子三人が暮らしていけない。

母親はとりあえず近所の喫茶店に働きに出、店主の紹介で昼は会社の事務所、夜はサパー・クラブにつとめた。昼の仕事を終えて大急ぎで家に帰り、子どもたちの夕食を用意して食べさせ、すぐまた夜の職場へ出かけて行くという毎日。疲れ果てた母親は、ときに、

「生きていたって、何にもいいことないわよ。死んだほうがましだわ」

などと口走り、それを聞かされるたびに子どもたちはおろおろと泣いた。

次郎が法廷で語る。

――幼稚園のころ、きみはどんな子どもだったか。

「ガキ大将というか、よく同級の友だちを殴っていました」

――お父さんに野球を教えてもらったそうだね。

「キャッチボール、ノックとか、野球で遊ぶというより、特訓を受けている感じでした。つらいというか、怖かった記憶があります。お父さんは、ぼくを野球の選手にしたかったのだと思います」

――お母さんは？

「そのころのお母さんはやさしくて、好きでした」

――お父さんは、家に帰ったり帰らなかったりしていた。その意味がわかったのは？

「小学校に入ったころだったと思います」

――お父さんが家を出た意味はわかりましたか。

「あんまりわからなかった。ただ、いつも（両親が）ケンカしていました」

――お父さんが帰ってきてくれる、という期待は持っていたのかな。

「帰ってきてほしいと……。でも、小学校の四年のころ、それは諦めました」

——お父さんのことを、お母さんに話したことはありますか。

「小さいころはありました。でも、小学校三、四年のころは話さなくなった。話すと、お母さんが怒り出すからです」

——どんなふうに？

「そんなにお父さんのところがいいんだったら、そっちに行きなさい、と。それで、お父さんの話はできなくなりました」

——小学校三年になったころから、お母さんの生活ぶりに変化がありましたか。

「ありました。イライラしていて、ぼくらに当たったりする。夜は、ぼくとお姉さんだけ。お母さんとは、朝、顔を合わせるのと、学校から帰ってきてお母さんが出て行くまでの短い間だけ。その間によく怒られました。靴べら、掃除機のパイプ、ふとん叩きなどでよく叩かれた」

——ヒステリックな感じは？

「今日は機嫌が悪いな、と思っていました。お姉さんと風呂に入っていてケンカをしたとき『うるさい。あんたたちがいるから……』とか言って、お母さんが包丁で風呂場の窓ガラスを割ったこともあります」

——幼稚園のころは、お母さんがやさしかったと言っていたが。
「何かしゃべると怒られそうで、あんまりしゃべらないようにしていました」
——お祖母ちゃん（父方）が家の近くに住んでいましたね。
「お祖母ちゃんはいい人で、好きでした。しかし、お祖母ちゃんのところに行こうとすると、お母さんに『どうして行くんだ』とか言われるので、行きにくくなりました」

母親は猛烈な勢いで働いた。サパー・クラブでは、担当した客の売上や指名料でトップをとった者に、報奨金がつく。休みなしに店に出れば皆勤賞。同伴出勤には同伴料。客の心をつなぐためには、休日のデートに応じる。盆暮のつけ届けにも心を配った。誠意をこめた働きぶりで、ナンバーワンの成績が何年も続く。その場かぎりのいいかげんな客あしらいでは、こういうことはできない。

収入は増え、経済的な事情は好転した。その間に、次郎の生活が荒れていく。恵まれた体格、腕力にものを言わせて、ケンカを重ねる。彼もまた、意識の下に堆積する憤怒のはけ口を、ケンカ沙汰に求めていたのだった。

昭和五十六年の夏休み、父親から「次郎を海水浴に連れて行こうと思うのだがいらだちを深める母親のところよりは、父親との生活が魅力的に見える。海水浴から帰って数日後、次郎は父親の家に行った。

「どうした？」

「ぼく、お父さんといっしょに住みたい」

「そうか。いいだろう。オレは構わないぞ」

新学期の九月、小学校四年生の次郎は転校し、新しい生活に入る。

こうして、一度失った父親を取り戻すことはできたが、新しい家庭には、自分とは縁もゆかりもない別の「母」がいる。異母弟もいる。次郎は次第に居心地が悪くなり、十二月中ごろ、ささいなことで父親に叱られた夜、無断で家を去った。ほんとうの母親のいる家の近くまできたが、なかに入ることができない。

息子の「家出」を知った父親が迎えにきた。

「お前、いったいどっちの家で暮らしたいんだ」

息子は黙っている。父親は言った。

「ここにいたいのなら、オレとお前の縁を切る。それでいいな」

言われた息子は「これでおしまいだ。棄てられた」と思った。

父親の証言。

――あなたの家庭にきてから、また野球の特訓などをやったのですか。

「やりました。ほかに、家の回りを何周しろ、階段を駆け登れ、バットの素振りをしろ、などと言いました」

――どうしてそういう厳しい練習をさせたのですか。

「野球の選手になるという、ぼく自身の夢もあったし、大人になってからの生活の苦しさがないよう、プロ野球の選手でなければ競輪の選手に、などと思ったのです」

――次郎君がお母さんのところに帰ったのは、どういうことがあったからですか。

「私の子どもにやきもちをやいて、さびしくなって家を出たのだと思います」

――迎えに行って『縁を切る』と言ったそうですね。

「言いました。悪いことをしたりしたときに、ふたつの家があって（ぐあいの悪い家から逃げ出し、そうでないほうへ）逃げ込む。そういうことはいやだったからです」

――次郎君は、お父さんに棄てられたと思ったと言っていますが。

「自分は、そうは思っていません。子どもの逃げ道を作りたくないと考えたのです」

――その後、次郎君には会っていますか。

「中学生になって、スキーでけがをしたときに、一回、見舞いに行きました」

——今回の事件を起こす前は？

「それだけです」

昭和五十九年四月、中学に入学。バレーボール部と陸上部に入る。一年から二年にかけては、小学校時代のようなケンカ沙汰は減り、問題のない日々が続いた。

二年生の冬休み、友人の家族とスキーに行き、そこでスキーヤーに衝突されて右足脛を複雑骨折。二か月間の入院。退院後も左足の筋力が思ったように回復しないため「もうスポーツはやれない」と見切りをつける。一方、三か月間も休んだため、教室に戻ったときは授業がまったくわからなくなっていた。

次郎が語る。

——きみは、中学では一回もケンカをしなかったのか。

「三年の三学期ごろから、またやり始めました。友だちがカツアゲ（恐喝）されたので、やってくれと頼まれたのです。それから、またやるようになりました」

——どうしてケンカをしたのか。

「ケンカしないと、あいつは弱いとバカにされる。それがいやだったのです。ぼくはお父さんがいなかったので、いないから弱いと言われるのがいやだったというか。スポーツをやれなくなったし、最後に残ったのはもうケンカしかないと思いました」

　体つきはたくましく、背は高い。もちろん、ケンカは強い。しかし、クラシックな「硬派」とはちがう。中学生のころから、年長のガール・フレンドを次々に作り、いっしょに過ごすことが多かった。

——きみは、中学のころから女の子といっしょにいることが多かったね。なぜだと思う？

「甘えたかったというか」

——女の人というのは、きみにとってどういう存在だった？

「ぼくの言うことは全部聞いてくれる……」

——そういう考えになったのは、どうしてだと思う？

「いつもイライラしている、そういうのがいやだった」

——それは家庭のことを言っているのか。

「そうです」

——家庭で見ている女の人と、逆のタイプを求めていたということですか。

「はい」

　月並みな表現だが「愛情に飢えていた」という風景は見える。同時に「自分の言うことを全部聞いてくれる」女性を求め続けるという、幼い身勝手さがある。

高校受験が近づいて、志望校が学校でも家庭でも話題となった。次郎は、自分の学力から考えて商業科でも工業科でもいいが、とにかく都立高に入りたい、と言う。それに対し母親は「商や工はだめ。普通科に行きなさい」と主張する。商業高や工業高を出てブルー・カラーの道を選ぶより、無難なところを狙ってとにかく普通科に進み、大学まで行く、そうすれば、まがりなりにもホワイト・カラーへの道が開ける。十人の母親がいたら、十人までがそう考える。

教師に相談すると「お子さんの偏差値では、都立の普通高は無理でしょう」と言う。「スポーツで名を知られた私立高が、ブラスバンド要員の推薦入学を受け入れてくれる。そこはどうでしょう」と言われ、母親は「ぜひお願いします」と話をきめて帰った。

その私立高に入学。自動的に吹奏楽部所属となる。しかし、次郎には音楽をやる気はまったくない。そのうえ、入学して間もないころ、多勢に無勢のケンカをしかけられて袋叩きにあった。ケンカ場を渡り歩いてきた者には、少年といえども独特の匂いがある。それがひどくカンに触る少年もいる。

「あの野郎、生意気だ。いっちょうやってやるか」

それだけの、理不尽な暴行である。いずれも運動部員の六人に校舎の裏手に呼び出され、取り囲まれて意識が朦朧となるまで、存分に叩きのめされた。これで、学校へ行く気をなくす。登校はするが早退する。やがて、登校さえしなくなる。同じころ、母親に対しひどく反抗的になっていった。

一年二学期の十一月三十日、不登校と学費滞納により、除籍処分。

「行きたくない学校に行かされた」「ガール・フレンドに甘えたかった」などという弁護人との応答を聞いていた検察官が、追及に立った。

——中学三年になって「弱いと思われるのがいやで、またケンカをするようになった」と言ったが、それは一年のときも二年のときも同じことではなかったのか。

「けがでスポーツを諦め、勉強も諦め、それで最後に残ったのはケンカしかないと考えたのだと思います」

——なにもプロ野球の選手になるばかりがスポーツじゃあるまいし、自分の体力に合った好きなことをやればいいんだろう。勉強だって、一所懸命やろうと思えばいくらでもできるんじゃないのか。

「ぼくには柔軟な考え方ができなかったのだと思います」

——それがなくなったら、とたんにもう、ケンカでもやるか、ということになるのか。

「何もなくなった、と考えて……」

——なぜ勉強を一所懸命やらなかったのか。

「二年生の三学期いっぱい、全然（学校で）勉強していなかったので、やっても追いつかなかった。授業がまったくわからなくなったので……」

——しかし、そのくらい休んだって追いつかないということはなかろう？

「いえ、三学期いっぱいです」

——しかし、その前に、女の子とべったりつきあって遊んでいたこと自体、勉強が遅れる原因だったんじゃないのか。

「はい」

——きみは都立高に行きたかったというが、都立高めざしての受験勉強はどの程度やったのか。

「やってないと思います」

——だったら、現実の問題として試験に合格しないじゃないか。

「自分としては、都立は受かると思っていました」

——受験勉強をしないで、都立は受かるものかね。

「……」

――きみ、成績はどの程度だった？

「中学一、二年のときは普通くらいでした」

――そのくらいの成績の人が都立に行こうと思ったら、一所懸命勉強するんじゃないのか。

「はい」

――お母さんは、学校の先生と相談して、どの高校なら入れるか考えてくれた。そのとき、きみは困っていなかったのか。

「お母さんに従おう、と思っていました」

――なぜ？

「小さいころから従っていたからです」

――自分の学力を考えて、従ったんじゃないのか。

「そういうことは考えなかったと思います」

――しかし、自分は都立は大丈夫と思っていたのなら、その私立は納得できないとなぜ言わなかったのか。

「都立に行きたいとは言いました。でも、確実じゃなくては駄目だ、と言われて……」

――子供のことを考えたら、親はそうなるだろう？

「はい」

――きみが一所懸命勉強する姿を見せたら、お母さんだって自信を持ったのではないか。

「はい」

検察官はいらだつ。しかし、問答は最初からすれちがいになっていた。次郎の家で、母親と息子がすれちがったのとまったく同じように、である。

ブラスバンドと集団暴力にいや気がさして私立高を中退したあと、次郎は六十三年三月ごろまで、中学時代の友人の父親が経営する電気店で、電気見習工をつとめる。四月、母親には相談せず、都立工高の定時制に入学したが、これもサボりがちとなった。

早熟な艶福家は、中学三年のときからつきあっていたガール・フレンドと別れ、すぐ新しい恋人を得る。中学で一年上だった娘で、職業は喫茶店のウェートレス。

「甘えるというか、ぼくの言うことをなんでも聞いてくれる人。それまでつきあってきた子のなかでは一番好きだった」

と次郎は言う。

その女性がある日、学校に行かない次郎を心配して「そこまで、私といっしょに行こうよ」と家に迎えにきた。次郎はその気になり「ちょっと上がってて」と家に入れようとする。それを見た母親が激昂した。次郎の供述によれば「あばずれ」「殺してやる」などと叫び、さらには次郎の首を締めたりして怒った。

話がここに及んだとき、次郎は証言席で激しく嗚咽した。「この事件で、お母さんに対し腹が立ったのか」と聞かれて、かすかに「はい」と答えたが「それがきっかけでこの人と別れたあと、きみの生活に変化はあったか」とたずねられたときには、もう言葉にならない。弁護人の質問は中断され、嗚咽がおさまるのを待って続行された。

──そのころから、きみはお母さんに反抗するようになったのだね。

「はい」

──どんなように？

「何か言われると壁を叩いたり、ご飯を食べているときだったらお膳をひっくり返したり」

──それまで、そういうことはまったくやっていなかったの。

「はい」

――生活の変化は？

「よく外泊して、あまり家にはいないようになりました」

この点も、検察官が突っ込んだ。

――そのウェートレスの人は、きみを学校に連れて行こうとして迎えにきたのか。

「朝、いつも待ち合わせた場所にきていて、途中までいっしょに行っていました」

――お母さんは何がいけないと言って怒ったのか。

「そういうことは、いつも言われませんでした」

――高校生のくせに、女の子に迎えにきてもらうとは何よ。そういうことは言わなかったか。

「あばずれ、とかは言いました」

――しかし、高校生で、女の人に迎えにきてもらうなどということがあって、親がショックを受けないほうがおかしいんじゃないか。

「はい」

――きみは、お母さんが怒ったのは意地悪とだけしか感じられなかったのか。

「そうだと思います」

――女の人に迎えにきてもらった自分の行動というのは、当たり前と思っていたわけ？

「当たり前というか、ただ、やさしいな、と……」

――親から「そんなことじゃいけませんよ」と言われるような行動だとは、全然、思わなかったのか。

「そういうことは、考えられませんでした」

――きみは、お母さんから怒られたり叩かれたりしたのは（イライラしている）お母さんの八つ当たりだと思っていたのか。

「はい」

――自分が悪いから叱られているんだとは思わなかった？

「こんなことで、とか、反抗的な気持はあったと思います」

――きみが言う、女の人は自分の言うことは全部聞いてくれるというのは、普通の人だったらいやがるようなことでも、自分が言えば文句を言わずに従う、こういうことか。

「そういうふうに思っていたと思います」

――もっと具体的に言うと、どんなことがある？

「ぼくを好きだったら、その人はぼくしか見ないとか」

次郎が言っているのはこういうことだ。

「女の人は、必ず自分を受け入れてくれる。お互いに相手が好きだったら、こちらが大事にしているかぎり、相手は自分の言うことをなんでもきいてくれる」

言ってしまえば、次郎の側からワンサイド・ゲームを求める関係である。しかも、これほど一方的に愛情を求めながら、相手がこの期待にこたえないことがあると、瞬時にして「オレを裏切ったな。もうおしまいだ」とみずから関係を絶ってしまう。それゆえに、自己破壊の泥沼に落ち込む。それが、次郎の「女性遍歴」だった。

検察官が続ける。

――しかし、今の世の中、女性のほうから「あなたとはつきあいません」と断ってくるのはいくらでもあるんじゃないか。

「はい」

――友だちの男性で(女性に)振られた奴はいないのか。

「います」

――きみの言っていることは、もうひとつわからんのだがな。

検察官の質問の文脈は乱れがちで、このときにはもう、訊問ではなくなりかけていた。この法律家は、ふだん、よほどいい子たちとばかりつきあっているのかもしれない。検察官は、イライラと言葉を探していた。

裁判所の「鑑定書要旨」は、次郎についてこうのべている。

「脳・神経の異常はないが、父親に愛情を求めたり、母親に甘えたり、受容を求めたりする欲求が強いにもかかわらず、それが満たされなかったために、心の深い層で傷ついており、それらの愛情欲求や自尊感情をみずから断念し、衝動性をもっぱら抑圧・分裂・疎隔化のメカニズムを採用して、神経症的性格構造を形成しており、屈折した心理のなかで、本来持っている知能やエネルギーを十分に活用できないまま、むしろ自己破壊的な生活を無意識のうちに志向して、刹那的な快楽や気晴らしを求めて非行場面に身を委ねていたと思われ、行動・言動・心理テスト結果から見るかぎり、若年ながら明確な異常性格傾向をしめし、情性欠如傾向と神経症的性格傾向を持つ精神病質者と診断される」

弁護人の一人は簡潔に要約した。

「さびしがり屋で甘えたがり屋で、徹底的に身勝手」

そのうえ、ケンカ相手を十分に畏怖させる腕力を持っていた。

六十三年八月、母親に「カネがほしい」とこづかいを無心して断られると、激昂して壁を激しく叩いた。直接暴力を振るわれたわけではないが、母親はとっさに一一〇番を回す。かけつけた警察官はなんの処置もせず、次郎をたしなめただけで引き揚げた。警官にしてみれば、もっとひどい家庭内暴力のシーンを、いやというほど見ている。息子が壁を叩くくらいのことを、いちいち事件にするほど暇ではなかった、ということだ。

しかし、自分の心身の痛みにはひどく敏感な次郎は、この一件で母親を見かぎることになる。幼かったころ「縁を切る」のひと言で、父親とのきずなが断たれた、と判断したのと同じことだった。

弁護人の質問。

――壁は叩いたが、お母さんは叩いていないね。

「叩いていません」

――一一〇番をかけられて、きみはどう思った？

「お母さんとは、家族とは、もう関係ない、完全に切れたと思いました。警察の人がきても（母は）ぼくの悪口ばかり言っていた。そのとき、見捨てられたと思ったので、それからケンカばかりするようになりました」

——今考えて、お母さんにこうしてほしかったということ、それと、きみのほうからお母さんに謝りたいと思うことがあったら言ってください。

「(激しく嗚咽しながら)もう少し……甘えたかったというか……自分が無責任な行動をして、お母さんに迷惑をかけてしまったこと……」

——お父さんに対して、何か言うことがあったら言ってください。

「男の人の考え方とか、教えてもらいたいと……」

そして母親。

——あなたは「自分一人でお父さん役とお母さん役をしなければならない」と言っていたそうですが……。

「はい。経済的にお父さんの役をしていましたし、怒る、叱ることにしてもお父さんの役。それをなだめるお母さん役もやったはずですが、それは子どもに通じていないように思います」

——次郎君の話では、厳しいお父さん役しかなかったと言っています。

「そうだったと思います」

——女手ひとつで育てているために、子どもになめられちゃいけない、という気持もあったんでしょうか。

「はい、そうです」

——仕事のストレス、あるいはご主人との葛藤を自分自身で処理しきれなくて、家庭内にまでその影響が出たように思えますが、そうなんでしょうか。

「はい、そう思います」

——もう少し、こうすればよかった、という反省はありますか。

「親子三人で、もう少し考えればよかった、と反省しています」

——次郎君とのかかわり方では？

「女手ひとつなんで、子どもには厳しい生活をさせようと思いましたが、もう少し暖かい、べたべたした愛情が、あの子には必要だったと思います」

——どういう子だと考えていましたか。

「すごいやさしい子で、ケンカなんかする子じゃないと思っていたんです。生活のために私に遠慮して愚痴も言わないし、言えない子だったんだと思います」

——ほんとうは、次郎君のほうが、お母さんのいろんなつらさを考えて、遠慮していたということですか。

「はい、そうです」

——それに気づいてやれなかった？

「はい」

一一〇番事件以後、次郎は三雄の家に入りびたりの状態となる。三雄の両親は共働きで、帰宅が遅いこともしばしば。そのうえ、両親の部屋は階下で、両親が三雄とその兄の部屋のある二階に上がってくることはあまりない。ひとたび二階に上がり込んでしまえば、そこは次郎にとって自由で気ままな天国となった。ここにいるかぎり、母親の不断のプレッシャーから完全に解放される。

次郎と三雄兄弟が友だちになったのは、小学校低学年のころ。ともに学童保育に預けられていて仲よくなり、ザリガニ釣りなどをして遊んだことがある。もう一人、司郎とは小学校四年から同じクラスとなり、これまた友だちだった。

しかし、中学時代はクラスが別々だったこともあり、あまりつきあいはない。その交遊が突如として復活したのは、六十三年の夏、すなわち、次郎が「お母さんとは完全に切れた」と確認したころである。

そのとき、次郎と三雄の兄との共通の友人がバイクで事故を起こして入院した。

「見舞いに行かなけりゃいけねえんじゃないか」

「何持って行ったらいいんだろう」

と連絡をとりあううちに、弟の三雄と気が合い、司郎もまじえて急速に接近したのだった。バイクで遊びに行く。ファミコンをする。ファミコンについて言えば、司郎が達人である。なにしろ、これさえあれば一日中、飯を食うのも忘れて熱中する。他人とひと言も話さなくても、まったく苦痛にならない。持っているソフトを交換したりして、グループの親しさは中学時代の空白を一気に飛び越えた。

リーダー役は、体が大きい次郎。ただし「かっぱらいをやるか」「ナンパ（強姦）に行こう」といったたぐいの指揮をとるのではない。「腹減ったなあ」「何食う?」などという話になったとき「よし、これでいこうぜ」ときめる。その程度のことだ。三雄の兄は、どちらかといえばみんなと距離を置いたつきあい。三雄は腰が軽くて調子がいい。司郎は、仲間をリードしたり、提案したりという役割はつとめなかったが、もっぱらファミコンの主。

三雄の兄をのぞけば、全員が高校ドロップアウトである。本人たちは気づいていないが、時間はふんだんにある代わり、胸のなかに得体の知れぬ穴があいていて、そこを風がスースーと吹き抜けていく。だからこそ、ときには二十四時間をいっしょに過ごしてまで、身を寄せ合っていなければならなかった。

このグループに、次郎をしのぐ強烈なリーダーシップの持ち主、一夫が加わるのは、もう少しあとのことになる。

第五章　伏線

ＪＲの駅から歩いて十五分ほど。狭い道をはさんで、小さな二階家がすきまなく軒を並べている住宅地に、事件の主たる舞台となった三雄の家がある。三十数坪の敷地いっぱいに３ＤＫ。一階に居間兼夫婦の寝室、台所、浴室、トイレ。二階に長男の部屋とかつては父親の書斎だった次男・三雄の部屋。その部屋の窓と、隣家のベランダの間は、四十センチしか離れていない。

事件が発覚したあと、この部屋で現場検証が行なわれた。天井の蛍光灯が故障しているため、明かりは畳の上に置いてある電気スタンドだけ。検証に立ち会った人は「ここであんなひどいことがあったのか、と考えながら部屋の中に立っていると、足元から上がってくるその照明が、薄気味悪くて仕方なかった」と語った。

少年法の第五章「雑則・記事等の掲載の禁止」第六十一条は「家庭裁判所の審判に付された少年または少年のとき犯した罪により公訴を提起された者については、氏名、年齢、職業、住居、容貌等により、その者が当該事件の本人であることを推知することができるような記事または写真を新聞紙その他出版物に掲載してはならない」と定めている。事件を報じた新聞は、当然、少年たちの実名、住所を伏せた。

にもかかわらず、どこでどう調べたのか、この家にはひっきりなしに電話がかかってきた。現場検証の最中にも、電話を取った係官に向かって「両親も同罪だ」「死んでおわびしろ」「気がつかなかったはずがないだろう」などと叫びたてる人がいた。

三雄の両親とその兄は、事件が明るみに出たのち、ここから逃げるように立ち去って姿を消した。住む人がいなくなった家は、わずかな間に荒廃の色を深めた。

両親が結婚したのは、昭和四十五年。夫婦でせっせと働き、五十一年、千九百万円で手に入れた建売住宅である。ローンを組み、生涯の夢を託したはずの家が、二十年もたたぬ今、そういうようすになっている。やがて取り壊される、という話もある。

近所に住む人々は、この家の次男・三雄が繰り返す家庭内暴力について知っていた。母親の顔がはれ上がるまで殴る。父親にも打ってかかった。母親が悲鳴をあげて逃げ出し、そのまま、家出したことさえあった。

子が親をいじめ抜く家庭内暴力が、社会的な問題として登場してきたのは、昭和四十年代の半ば過ぎごろからである。以来、四分の一世紀近くが経過しているが、子どもがなぜ家庭の中で荒れ始めるのか、その原因、予防法、効果的な解決策について大量に語られ、書かれているにもかかわらず、明確な像は依然として明らかにされていない。

だが、三雄の犯した犯罪を裁く法廷で、家庭内暴力という怪物が、正体の一部をチラリと見せたことがある。

証言席で「次男の家庭での暴力沙汰はいつごろから始まったのか」とたずねられた母親は「中学二年のころからだったと思います」と答えた。これに対し「きみは何歳のころから、お母さんに暴力をふるうようになったのか」と聞かれた三雄は「小学校五年のころからです」とのべた。暴力を振るった側には、小学校五年のときすでに「殴る」という意図がはっきりと存在していたのだが、振るわれる側には「やられた」実感がない。当然、その記憶もない。代わりにあるのは、幼いころからの甘えの動作がなお続いている、という認識だけだった。

欲しいものを買ってもらえない、やりたいことを禁止される、腹が減った、食べ物が気にいらない——そのたびに、小学校五年生は、まさに暴力のつもりで親に向かっていった。しかし、彼が行使できる破壊力は、大人に肉体的ダメージを与えるほど強くはない。自分の体に触れてくる子どもの手足が、実は凶器の意図をもっていることに大人は気がつかない。

「こんなに大きくなったのに、まだ甘えているのね。ほらほら、いい子だからやめて……」

などと受けとめる。

「わが子が私を痛めつけようとしている！」

と知って愕然とするのは、子が成長し、彼が大人をたじろがせるに十分な破壊力を持つにいたってからのことである。親は、そういう事態になったあともなお、これがずっと以前から子の内部で進行していたことだったとはわからないまま「あんなにいい子だったのに、どうしてこんなことを……」と絶望的な混乱に陥る。

子犬が「お手」をするのはかわいらしい。しかし、人間よりも大きな体になってしまったら、それはもう「お手」ではない。あれほど愛してくれた者を、無残に踏み潰してしまう。

三雄の母親は、昭和二十一年に生まれた。中学卒業後、昼間働いて都立の商業科定時制高校を卒業。診療所に就職したが、あらためて準看護学校、高等看護学校に通い、看護婦の資格をとった。向上心に富んだ、努力型の娘。

父親は六歳年上。地方公務員を父に持ち、十人兄弟の五番目。大学を卒業して小さな商事会社に入社。会社の定期健康診断を担当していた診療所の職員と親しくなった縁で、十年後、その診療所の事務担当者となる。四十五年、同じ職場で働く看護婦と結婚し、二男を得た。診療所が大きくなるにつれて多忙となり、とくに昭和六十三年、診療所の薬局を分離して別会社とすることになったとき、その計画の責任者として夜まで働く日が続いた。母親は、昭和六十三年夏、看護婦主任となる。夫婦ともに、社会的な地位は充実の季節を迎えていた。

看護婦の勤務は二交替制。早番が午前九時から午後五時まで。二人の息子を保育園に預けていたころは、午後六時までしか勤務しなかったが、学童保育を卒業したあとは七時ごろまで働くのが常だった。遅番は午後一時から午後八時まで。帰宅時間は普通に終わった夜で午後九時。診療が長引くと十時、十一時に及ぶこともあった。その遅番勤務は、週に一回から二回。入院患者はいないので、夜勤はない。休日は日曜、祭日。ほかに所定の有給休暇。

母親の証言。

――三雄君は、ゼロ歳児から保育園に行っていますね。ゼロ歳から五歳のとき、お兄さんとの兄弟仲はどんな感じでしたか。

「双子のような感じでした」

――年も近い（一歳ちがい）ですからね。

「はい。とても仲がよくて……」

――次男の性格、人柄は？

「甘えん坊でさびしがり屋で。だっこちゃんベビーのような」

――お母さんにまとわりつく、ということですか。

「はい。絶えず（私の）背中や膝にきていました。小学校六年生のときも、親戚の家に泊まりに行ったとき、パッと膝にきて坐ったりして、みんなに『甘えん坊だな』と言われるような状態でした。中学になると、さすがにだっこはしませんでしたが、耳掃除をしてくれとよくきました。中学三年ごろまで……」

仲のよい兄弟だが、勉強は兄、スポーツなら弟と次第に個性がくっきりしてくる。小学校四年のとき、弟は少年野球チームに入った。練習は毎日曜日。暖かいときは午前六時から、寒い季節でも午前七時から始まる。グラウンドを確保するために、父兄は五時ごろから出て行った。

三雄は、六年生のとき、捕手・五番あるいは六番打者というレギュラー・ポジションを獲得する。その年、所属するチームは春、夏、秋のリーグ戦に連勝した。区の大会では、準決勝で敗れて三位。

チームで監督をつとめていた人物の証言。

――三雄君が練習をサボったことはありますか。

「私の記憶では、ありません。朝が早いんで起きるのがつらい。どうしても、遅刻したり休んだりというのはいっぱいいたんですが」

──チームのリーダーのような存在でしたか。

「コツコツやるほうで、それほど目立つところはありませんでした。キャッチャーは、野手と正面から向かい合ってチームを引っ張って行くポジションなので、元気のいい子が欲しかったんですが、三雄君にはなかなかそういうところが見られない。最初のうちは引っ込み思案というか」

──どちらかというと、引っ張られていく感じなんでしょうか。

「そうですね。引っ張っていくキャプテンかなにかのあとについて、コツコツとやっていくタイプです」

──キャッチャーだと、みんなに大きな声をかけたりすることが必要なんでしょう。

「最初のうちは、たしかに声も出なかった。自分から積極的に行動するタイプじゃなくて、ひとに言われたことをやる、ついて行く、という子どもでした」

──同じチームの子どもとケンカするといった、乱暴なところはあったんでしょうか。

「私は全然見たことがありません。おとなしいタイプでした。テンポがひとつ遅れる、といったところはありましたね。それがみんなの笑いを誘ったり……」

──本人は、小学校五年のころから親を殴っていた、と言うんですが。

「私の見るかぎり、そういう子には見えませんでした」

監督の目にはそう見えなかったが、三雄自身はすでにこのとき、わけのわからぬ暴力の衝動につき動かされていたのである。

弁護人の質問に答えて、本人の回想。

――（幼かったころ）きみはお父さんのことが好きでしたか。

「はい、好きでした」

――どんなところが好きだった？

「いろいろなところに連れて行ってもらったり、やさしくされていたので好きでした。運動会にきてもらったり、荒川の土手とかに連れて行ってもらったり……」

――お母さんについてはどうか。やはり好きだったか。

「はい」

――お母さんはどんなことをしていた？

「（急に涙声になり）保育園まで連れて行ってもらったり……いろいろ、やさしくしてもらいました」

――（のちに父を殴るようになったとき）お父さんのことがきらいになったのか。

「そんなにはきらいになりませんでしたが、少し、いやだなあ、という思いがあって……」

——お母さんをぶったりすることはなかった?

「小学校五年生くらいからあります」

——(中学生になってから)お母さんを殴るとき、オレは試験の前でイライラしているから殴るんだ、みたいなことを言ったことはないか。

「そういうの、ありましたけど、でも、自分が殴りたかったから、都合つけて……」

——殴るための、ただのきっかけか。

「はい」

——殴っている最中、なぜ殴っているのか自分でもわからなくなっちゃうってことはなかったかな。

「ありました。殴っていると、興奮するというか、よくわからない……。それで、原因というか、そういうものがどんどん薄れていくという……」

——きみはお母さんに膝枕してもらうのが好きだった?

「はい、耳掃除とか」

——お母さんのことを、やっぱりやさしいと思っていたんだ。そういうお母さんを殴って、かわいそうだとは思わなかったのか。

「思ったときもあったけど、暴力がやめられなくなっちゃって……」

母親は、息子が三歳になるまで、テレビを見せなかった。その後も、時間を制限して小学校一、二年のころは三十分、あるいは一時間。高学年に進んだのちは、午後九時までときめた。

家事については、長男と次男の分担をきめた。朝、ポストの新聞や牛乳をとってくる。階段や廊下の雑巾がけ。玄関の掃除。食事のあとかたづけ。甘やかし放題にはしない、幼くても仕事の責任を持たせる、家庭経営に参加させる、という母親の方針による。

子どもを家庭のなかで放し飼いにしているような家庭に比べれば、なかなか賢明で理性的な子育てと見える。だが、三雄の弁護人は、冒頭陳述のなかで「家庭教育における両親の被告人に対する対応を具体的に検討すると、そこには重大な問題があった」と厳しく指摘した。

まず、二人の兄弟がまだ幼かったころ、父親が行なった体罰。主として、きめられた家事の分担を怠けたときに罰が与えられたが、問題は、それが行なわれるときの状況にあった、と弁護人は次のようにのべる。

父親の帰宅は、毎晩、十時を過ぎる。神経をすり減らす仕事、超過勤務のあと「やれやれ」と一杯飲んで帰るのが常だった。母親から、その日の子どもたちについて報告を聞く。とも働きの夫婦にとって、一日の仕事を終えたあとで子の成長ぶりを語り合うのは至福のときだが、言うまでもなく楽しい話ばかりではない。

「雑巾がけをさぼった」

「あなたの仕事でしょ、ちゃんとやりなさい、と言ったら反抗的な態度をとった」

「ひどい言葉でやり返した。だんだん、手におえなくなる」

などという母親の話を聞くと、父親は過剰とも思える反応をしめした。疲労と酔いで、感情は簡単に激発する。母親の証言。

――お父さんの三雄への接し方で、問題だな、と感じたことはありませんか。

「いろんな問題がありまして、こんなことがあった、と言いますと、それをすぐ直線的に怒るようなことがありましたので、そういう怒り方をしないで、コミュニケーションをはかるようにしてほしいということを、小学校の高学年のころに言いました」

――直線的に怒るとは？

「聞いたとたんに二階に上がっていって怒る、といったことが、多くはなかったと思うんですがありました」

――言葉だけではなくて？

「叩きました」

――お父さんは、家のなかでは口数は多かったのですか。

「無口です。小さいころは子どもたちといっしょに行動していましたので、かなりスキンシップがあったのですが、子どもがだんだん親から離れていくころには、とくにしゃべることが減ったと思います」

カッとなって子の部屋に行き、怒声とともに平手打ちする。寝ていれば叩き起こす。壁に押しつけてなじったり、家のそばの公園で走れ、と命じる。

冒頭陳述書。

「このような態様での体罰は、被告人の成長にとって重大な影響を与えた。

第一に、児童期の被告人自体に与えた否定的影響である。このようないわば感情的な『体罰』が、被告人の自己の欲求や意志を暴力によって表現するというゆがみをもたらした重要な一因となった。体罰によるしつけの強制が、被告人の内面に、本来の道徳的情操を形成するうえに積極的意味をまったく持ちえなかった。実際に、被告人は小学校五年生ごろからは、父親の暴力に対抗できないだけ、母親に対しては反抗的態度を強めていくのである。

第二に、このような体罰の継続が、父親と被告人の親子関係にとって重大な否定的な影響を与えた。これに対し、母親は、被告人にとって、しつけの面では注意はするが、結局はわがままを受け入れてくれる存在であった。

こうして、児童期においては、一方で父親の理不尽な体罰、他方で甘えの対象であった母親の存在によって、結局、両親が厳格に教えようとしたしつけは、被告人のなかに内面化されることがなかった。その結果は、被告人が中学に入学する前後に、父親の体罰という外的抑制が存在しなくなった以降において、顕著に発揚することになった」

もともと、理性的な体罰など存在するはずがない。親であれ、教師であれ、なにがしかの感情の爆発とともに打つ、叩く、蹴るといった動作が発生する。体罰は、あくまでも「感情的」なのであり、したがって「感情的な体罰だったから、よくなかった」というロジックは矛盾する。弁護人も、そのことをとくに言っているのではない。

父親は、学生時代、空手をやっていた。かりに息子と存在をかけた肉体的闘争状態に陥ったとしても、中学生程度の相手に負けるはずはなかった。その父親が、兄弟が中学に進学するころ、体罰をふっつりとやめた。父親の証言。

――体罰をやめたのには、なにか理由があったのですか。

「体罰だけでは子どもの成長に役立たないと考えました。暴力は、親子の間であろうともやはり否定すべきだと思ったのです」

――あなたは、一度そう思うとそれを絶対に守るタイプの人間なんですか。

「頑固だ、と指摘されることはあります」

――三雄君の暴力が激しくなったころ、奥さんが殴られているところにあなたがいて（やめろと）注意してあなた自身が殴られたことがありますね。

「はい。殴られたことがあります」

――あなたは「殴るなら殴れ。オレの気持はいつか必ずお前にわかるはずだ」と、殴られても殴られても頰を出して殴らせた、ということがありましたね。

「はい。私は自分を殴ってくる三雄の目を見ながら『いずれはわかるだろう』と考えていました。あそこで殴り返せば、自分のほうが勝つ。でも、もう暴力はふるいたくなかったし、今でも、手を出さなくてよかったと思っています」

――しかし、あなたは三雄君のやっていること、置かれた状況や問題といったものを、実感としてほとんどわかっていなかったんじゃありませんか。

「母親が、たぶん、その辺の話や悩みを語っていたと思うんですが、酒を飲んだあとで聞くと、翌朝になって何を聞いたか忘れている、といったことがよくありました」

――いろいろと奥さんから聞かされると、自分だって仕事で疲れているんだし、逆にあなた自身がイライラして、男の子なんだから放っておいても大丈夫だとか、奥さんのほうがノイローゼなんじゃないか、と言ったことがありませんか。

「あります。病的なくらいに神経質すぎるんじゃないか、と」

――お母さんは心配でたまらず、必死になってあなたに訴えていたんですが、あなたは「お前、それは病気なんだから、病院に行ったほうがいい」と言いましたね。

「ちょっとはっきりしません。もうイライラしていたんで、たぶん、その程度のことは言っているかもしれません」

――あなたとしては、動物園でいっしょに楽しく遊んだりした子が、男の子だからそれなりに無愛想になっているにしても、これほど悪いことをやっているとは、当時、まったく考えてなかったんですね。

「考えていませんでした」

――奥さんから悩みを打ち明けられて相談されても、あなたとしては真剣に対応していなかった。そういうことでよろしいですか。

「そんな悪いことをしている、という認識を持っていなかった、ということではそうです。もし想像できたら、対応していたんじゃないかと思います」

――真剣に対応できなかったのは、仕事と、その疲れでお酒を飲んでいた、ということがあったわけですね。

「そこには逃げたくないんですが、結果的にはそういう状態だったと思います」

息子が母親を殴っているところに父親が帰ってくる。「話し合いをすべきだ」と止めに入る父親。息子は青白い顔をして、

「うるさい。オレが小さいころ、そっちだってさんざんオレを殴ったじゃないか。これは（母親の名を呼び捨てにして）こいつとオレの問題だ。お前は口を出すな」

と叫ぶ。なおも制止しようとすると、息子は父親も殴った。空手の素養があるから、こんな息子は一撃で倒すことができる。しかし「いかなる種類の暴力も悪である」と説く本を読んで以来、おのれの力を「封印」してしまった父親は「殴りたければ殴れ」となすがままにまかせ「いつかは父親の気持を息子が理解するはずだ」と考え続けていた。

暴力の発端は、いつもたあいないことだった。「腹が減っているのにすぐ飯が出ない」「気にいらないものが膳に出た」「欲しいものを買ってくれといったのに、断った」などなど。たかがそれだけのことでなぜこれほどの暴力が噴出するのか。両親は理解できなかった。ましてそれが、子犬がじゃれつくようにしていた小学生時代からの延長線上にあったなどとは、親の想像を絶した。

たしかなのは、勉強のよくできる長男、甘えん坊で野球好き、スポーツなら熱心に集中する次男。そして、けなげな働き者の母親、職場で次第に責任が重くなり、重要な地位を占めるにいたった父親。その四人が身を寄せ合っていた家庭が、今まさに地獄に変わりつつあるということだけだった。

息子たちは、土地の中学校に進んだ。

この家の兄弟と、一夫、次郎、司郎が通っていた中学校は、これまで二度にわたって「文部省研究指定校」になったことがあり、区内では「荒れない中学」「有名高校への進学校」とされていた。

同校校長名で出された『昭和六十年度指定中学校生徒指導総合推進校研究報告書』には、こうある。

「本校の所在地である地区は、東京都の北端に位置しており、二十年前は都内では数少ない水田地帯であった。近年、区画整理、地下鉄の開通によって急速に発展した地域である。駅の利用者も多く、飲食店、不良雑誌の自動販売機、ゲームセンターなどの遊興施設も増加し、近辺の中・高校生が集まってくる。

再開発地区であるため、住宅地、商業地、緑地帯などバランスがよく、本校は静かな環境に位置している（以上「地域の概況」から）。

本校で今やらなければならないことは『何事にも積極的な関心と好奇心をもって学習する意欲と気力を持つ』ような生活習慣を身につけさせることだと考えた（以上「研究主題　基本的生活習慣の定着による社会性の伸長をめざして」から）」

この「静かな環境」のなかで「基本的生活習慣の定着」を実現するために、学校のなかで何が行なわれていたか。

三雄の証言。

――中学校で、生徒が先生から体罰を受けたのを見たことがあるか。

「はい。よくありました」

――それをやる先生は、きまっていたのか。

「きまっていました」

――そういう意味で、とくに印象的な先生は？

「社会科のA先生と、それから（保健体育の）B先生もすごい暴力で……」

――B先生というのは？

「真面目にやっていない生徒はもうめちゃくちゃ。殴り続けるというか……。その人は、普通の生徒だったんですが、体育の授業を足を捻挫しているんで休みます、と言ったのに、体育の時間の前に校庭を走らされた」

——きみ自身は？

「ガム噛んでるところをほかの先生に見つかって、その先生は『誰にも言わない』と言ってくれて、それでクラブが終わって帰ろうとしていたら、B先生が『三雄いるか』と走ってきた。『お前、菓子を食べたのになぜ言わないんだ』というんで『すみませんでした』と言いました」

——そうしたら？

「『すみませんじゃないんだよ』と言って、何発か殴られて、洋服とかバッグとか投げられて『かかってこい』と言った」

——それでどうした？

「『ほんとにすみませんでした』と。そしたら『あとで保健室にこい』と言われました。保健室に行くと『やり過ぎた』というか、B先生のほうから謝ってきて、それでなんか別の話に変わりました」

——ほかの先生は？

「平手で叩くとか、頭をこづくとか、ありました」

——それはもう、普通のことだと思っていたのか。

「やっぱり自分たちも、いけないことをやっているとはわかっていたから、しようがないというか……」

——見たのではなく、聞いた話では？

「なぐられた生徒の鼓膜が破れて、ＰＴＡで問題になっているとか、同じような話を三回くらい聞いたと思います」

——先生の暴力はいけないことだとは考えていた？

「いいえ。よくないことだとか、そういうことをあんまり考えていなかった。親とかテレビとかは『暴力はいけない』と言っていたけど、あんまり意味がわからなかった」

——中学校では当たり前のことと考えていたのか。

「思っていたというか、当たり前になっていて……」

三雄らが通っていたころの校長は、昭和五十九年に赴任。六十一年まで在勤した。当時、同中学にいた教師が、匿名を条件に語る。

「体罰が多かったのは事実だ。ぬれぎぬで殴られた生徒が、鼓膜を破り、あとで教師が謝罪した、という話を知っている。校長は黙認状態だったと思う。学校内の規律、秩序を維持するためには、力による威圧が必要だ、という考え方だったのだろう。その後、体罰に恨みを持つ卒業生などの報復行動（一夫らが殴り込んで窓ガラスを割った事件もそのひとつ）が目に余ったので、そうした事態になんとか対処するよう、教育委員会から『特命』を受けて新校長が赴任してきたと聞いた。新校長は『体罰をなくしたい』と教師たちに呼びかけたが『それでは、規律維持をどうする』と、すぐには支持を受けなかったとも聞いた」

当のもと校長は「ノーコメント」を繰り返しつつ、こう言っている。

「取材はいっさいお断りしています。以前、私の言わないことを書かれたことがあり、私自身の名誉がひどく傷つけられたからです。

こうした取材に対しては①人間というのは、まっすぐに成長していくわけではない。いろんな障害を抱えながら生きていくもの。中学を卒業以後、高校で受けた影響、あるいは就職先での問題など、その場所でのいろんな原因があるわけで、特定の中学校時代だけに原因を帰することはまちがっている②マスコミに対して、私が何を話してもいっさいとりあげてくれることはないし、一種、不信感を持っている——の二点から、この件に関しては、いっさい話したくない」

話したくないという人に、無理を承知で一点だけ聞いてみた。

——ご自分の教育方針にまちがいはなかった、という自信は持っておいでですか。

「これだけは言えます。私のいたころ、あの中学は文部省の『生徒指導研究推進校』の指定を受け、文部省から二、三回、調査官や審議官が訪れ、見学してもらったし、それなりの実績をあげてきた。この点は、いろんな方々に認めてもらっています。私自身、人間ですから反省すべき点はあるでしょうが、少なくとも、当時の教育方針について、外から非難を受けるようなことはいっさいありません」

三雄が法廷でその名をあげたB教師は、すでに他校に転勤している。彼もまた「ノーコメント」で話を始めた。

「あの中学にいたころの話については、いっさいノーコメントです。私はすでにあの学校にいませんし、話をすることはありません。当時は、私なりにいろいろ考えながらやったことであり、その経験を踏まえて、現在の教育現場のなかで生かしていけばいいことだと思っています。

(自分の行為が正しかったと思うか、という質問に答え) 私だけでなく、ここ (現在の勤務先) の先生方もそうですが、学校はいろんな問題を抱えながら、それにどう対処するのか、教育者としてみんな、自分なりに一所懸命やっているつもりですよ。いいかげんにやった気はけっしてありません。それなりの、最大限のベストを尽くしてやっています。その内容についてどうだと言われても、今の私は答える必要はないと思っています。

（体罰教育はあったのか、という質問に答え）あったかなかったか、いっさいノーコメント、話したくありません」

規律を守らず、校内秩序を乱す生徒に対して、物理的な威圧力を行使する仕事を、教師仲間では「ダーティ・ワーク」と呼び、現実には、威圧力を持つ特定の教師がその仕事を受け持つのが暗黙のルールとなっている。東京だけではない。全国に広がっている現象だ。遅刻を規制し、遅刻者を選別して罰を与えるため校門に立ち、時間がくると門扉を閉める、などというのももちろんダーティ・ワークに属する。校則を守らない者、秩序を乱す行動をした者に対し、ときには体罰も加える。平成二年七月、神戸の高校で、女生徒が教師の閉めた門扉にはさまれて死亡する事件が起こったとき、「ウチの学校でも同じようなことをしている」と複数の教師が語った。

この種のダーティ・ワークを一部の教師にまかせ、他の教師たちは「やさしさ」「ものわかりのよさ」で生徒に接してコミュニケーションを維持する。日本中の中学、高校に、こうした風景が存在する。

三雄たちが在学していたころ、この中学に勤務、今は他校に転勤した別の教師がこういう。

「私がいたころ、学校内が荒れていたなんてことはなかった。先生方も、問題が起これば一致してスパッとやってしまう体制ができていたし、なかなかがんばっていましたよ。そういう先生に比べれば、私なんか、重要視されてもおらず、単なるはしくれだった。私とちがって、重く用いられた人はよかったでしょうがね。私なんか、そういう役職をやりたくても、何もやらせてもらえなかった。

今の学校に移ったときは、ほんとうにうれしかった。気分がせいせいしましたね。だから、当時のことは思い出すのもいやです。

（体罰が横行していたのか、という質問に対し）考えてもみなさいよ。直接的体罰をやれば、生徒は刃向かってきますよ。そんなことは利口なやり方じゃあない。生徒にとってほんとうにたいへんなのは、精神的苦痛を与えることです。たとえば、生徒が『自分は悪くない』と主張しても、話を聞くことなく、かんたんに『お前が悪い』ときめつけてしまう。そういう態度でのぞめば、生徒だってたまらないですよ。結局は、生徒が内部に閉じこもってしまって、いじめにつながっていくんじゃないですか。具体的にどうやっていたとは言えませんが、じわじわと生徒を追い込んでいく、そういうやり方でしたよ」

三雄らの在学中の昭和六十一年八月八日、第二音楽室で同校の「第三回研究会（夏期研究会）」が開かれた。午前・午後を通じて「生活指導」の研究に当てられたが、この研究会のレポートによると、そこでこんな「報告」が行なわれた。

たとえば一年生の場合。

校則が徹底していない。帽子をかぶらずに登校してきて、学校の玄関付近にきてからかぶっている。黒い靴に銀色のラインが入っているものをはいている者が多い。女子の髪の二つ結びは「前傾姿勢をとると、校則を守っているために、かえって目を隠すようになり、目に害を及ぼすようになってしまう」

冷水機の使用。飲みに行くときは、外ばきにはきかえて行くように、と指導したが、あとになって、外ばきにはきかえても体育終了時と部活動終了時にしか飲んではいけない、と指導し直した。このように、校則をつかみきっていないため、一度許可したことを否定せざるをえないような、いわば、教員としての信頼を欠くような事態が起こっている——。

教師は当然のことながら、生徒一人一人の心のなかまで分け入ることができない。その代替作業として、どこで帽子をかぶるか、髪をどう結ぶか、あるいは水の飲み方まで規制する。そうやって、なにがしかの安心感を得ようとする。それ以外に、頼りになるものがない。だから、ときには物理的威圧力を用いてまで、規制の徹底をはかることになる。

この研究会では「中学生としてふさわしい頭髪・服装」についても語られた。いかなるヘア・スタイル、ファッションが中学生にふさわしいのか、すこぶる困難な命題と思われるが、それはともかく、この漠然とした規格にもとづいて「頭髪・服装の一斉検査」を実施し、違反者は「一か所に集めて全教員が指導」する。その後、再検査を行ない、規格どおりにあらためてきた者には、持参したカードに「合格印」を与える。その再検査を受けなかった者は、生活指導担当教師が個別に指導することとする……。

終わりに教頭が「学校の問題点だった①体罰が多すぎる②不登校生徒が多すぎる――については、どちらもよくなってきている」としめくくった、とレポートにはある。

もと校長や教師が何百回「ノーコメント」を繰り返そうとも、昭和六十一年八月八日以前、この中学に「体罰が多すぎる」状態が存在していたことは、これで明瞭である。

三雄の弁護人は、冒頭陳述のなかでこの点を指摘した。

「(被告人が通学していた)中学校は、一九八七年度までは区内においても有名な管理教育校であり、体罰による管理で全都的に名をはせたモデル校であった。教師に殴打され、生徒が口や鼻から血を流すなどということは、日常茶飯事であった。学校側は、こうした教師の暴力は、教育熱心な先生のちょっとした行き過ぎと評価し、事実上、奨励していた」

ダーティ・ワークは、学校の健全な管理のためには必要なもの、と教師たちは言う。親にしても変わらない。自分の子が殴られて血を流せば、当然「暴力教師」の非を鳴らすが、そうでないかぎり、ダーティな作業に従事する教師を「熱心な先生」と呼び、その種の作業に無関心で、ひたすら教室に閉じこもる者に対しては「何もしてくれない。しつけもけじめもない、無気力・無関心な先生」と批判する。

「鑑定書要旨」は四人の被告の心理状態についてこう書いている。

「被告人らは、いずれも暴力との親和性がかなり高い地域・風土に育ち、暴力による被害体験があり、根深い外傷体験となり、心に傷を受けて非行への道を歩み、親には力で対抗し、親の統制からまったく離脱した状態で、加害者になる素地を強化しており、攻撃者との同一視という心理的防衛機制や、幼少時から一方的な攻撃行動をテレビなどで日常的に反復され、身近に接し、学習され蓄積された行動パターンが、容易に実行に移してしまうということから、暴力的で、情性に乏しく、反社会的な人格を形成したが、この形成過程には、四少年の著しい特異性とみられるものもあるが、また現代っ子の面白志向や非現実性と通底する点も認められる……」
三雄はその上さらに「暴力との親和性」を高める経験を持つ。

三雄の小学校の成績は、勉強を苦手としていたものの、中程度。ただし、スポーツでは光った。少年野球チームの捕手で五、六番打者というのは「選ばれた」存在である。中学に進むと、バスケットボール部を選んだ。両親は「スポーツをやっていればまちがいはない」と、この選択を喜んだ。

当時、この中学のバスケットボール部は、区内でなかなかの成績をおさめていた。好成績の理由は、顧問の教師の熱心な指導と、猛練習にある。

朝は、午前七時半から始業直前までの八時十分までの朝練習。午後は、三時から六時半まで。休日に練習することもあり、ときに朝八時から夕方にまで及ぶ。自分自身はバレーボールをやっていて、バスケットボールの経験のない新任の女性顧問教師は「やるからには勝たねばならない」という信念で、生徒を厳しく鍛えていた。

厳しいのは練習だけではない。その教師は、日常的に体罰を課した。毎日のようにビンタが飛んだし、試合に負ければ一周二〇〇メートルのグラウンドを何十周、正座何時間などのペナルティを命じた。

　三雄は、そういう厳しさにいやけがさし、一年生の三学期に入ってからしきりに練習をサボるようになる。その都度教師に叱責されて「もうたまらない」と逃げ出すことにし、同じ一年生の部員十数人とはかって集団退部を実行した。バスケットボールは見限ったが、スポーツそのものを断念したわけではない。だが、水泳部に転じようとして、学年主任の教師に「そうはいかない」と拒絶される。集団退部という行為が問題とされたのだった。

　授業はよくわからないから、さっぱり面白くない。いったんそうなると、クラスの水準からどんどん遅れていく。教室にいるべき場所がなくなり、部活動もない。ほかに行き場のなくなった三雄は、以後「帰宅部所属」と称して、放課後、駅前のパチンコ屋に出入りしたり、ファミコン、夜遊びなど、無為の日々にもぐり込んで行く。友人に借りて裏ビデオも見た。この中学校では、誰かがどこかから手に入れたその種のビデオが、次から次へと生徒たちの間にたらい回しされていた。ただでさえ不得意だった学業の成績が、惨憺たるレベルに落ち込む。

　本来、落ちるしかない者がバスケットボール部に入ってこうなったのか。それとも、バスケットボール部が振り落としたのか。見る人がどちら側のサイドに立っているかで落ちた、落としたの認識に分かれるが、いずれにしても、これはまぎれもない挫折である。挫折は心中深く、えたいの知れぬ憤怒を育てる。憤怒は、我慢する耐え忍ぶという「耐性」が弱い子のなかで、危険な圧力を高めていく。もちろん、当の本人は自分のなかで何かがうごめいていることに、まったく気づいていない。

現在は他校に転勤した当時のバスケットボール顧問の女性教師に聞く。多忙を理由に面談を断られたので、電話によるインタビュー。

――バスケットボール部での先生の指導は、なかなか厳しかったと聞きました。

「部活動には、勝ち負けなんかどうでもよくて、ただ楽しくやるのと、昔ながらの、ビシッとしたやり方とふたとおりあると思います。三雄君は、楽しくやるほうがよかったのだろう。私は、いいかげんにやっている者は切ってしまう方針だったから、そういう生徒はついてこれなかったでしょうね」

――切ってしまう、とは？

「課外活動は、やりたい子がやるのであって、やりたくなければやらなくてもいいんです。教師としては、両方を抱え込むのは難しい。みんな一所懸命やっているところに、いいかげんな者がいては、ほかの者の迷惑になります。チャランポランにやっている者も浮いてしまう、ということです」

――バスケットボール部では、しばしば体罰が行なわれたそうですが。

「私は、たしかに生徒を叩いたことがあります。教師も、好きだからこそ運動部の顧問をやっているのです。朝練にも日曜日の練習にも出る。別にその分の報酬をもらってやっているわけではありません。（教師にとってこの仕事は）どうしてもやらなければいけない、というものでもない。自分たちは強くなった、というだけのものを生徒たちに与えたいと思い、教師は一所懸命やっているのです。なのに、練習に出てきたりこなかったり、時間に遅れたり、約束事を守らなかったり、などといういいかげんなことをやられたら、教育者といえども感情的になります。そういうとき、叩きました。あの生徒だけではない。練習や試合のときにも（ほかの生徒を）叩いたことがあります」

――三雄は、そんなにいいかげんな生徒でしたか。

「何を言っても通じない。何を考えているのかわからない。叱られたら、普通は『すみません』といった顔をするか、あるいはシュンとしたりするものですが、あの生徒は同じことを何度言っても変わらなかった。反応がなかった。なんで怒られているのか、わからないようでした。すなおにあやまらないので、よけい腹が立ちました」

――部をやめた事情は?

「そういうことで、あの生徒にはずいぶんと怒りました。しまいには『自分だけがなんで……』という気持になったのではありませんか。『やめたい』『そうか』ではなくて、慰留はしました。しかし最後は『ほかの部員に迷惑だからやめろ』みたいな感じだったと思います。話の通じない子、そういうのがよくいるではありませんか。何も言わなければ、こっちもいやな思いをしないですむが、黙っているとますます調子づくので困ります」

――中学生のころは、ヘトヘトになってほかのことが何もできなくなるくらいスポーツに打ち込めば、よけいな横道にそれることもないのではありませんか。学校での運動部活動に、そういう期待を持つ親もいます。あるいは『あのとき、バスケットボールを続けていたら……』と悔やむ親も……。

「さあ、それはどうでしょうね。一夫君の例があるでしょう。中学生のときは、一日も休まずに柔道部でやっていたのに、あんなことになってしまった」

――高校の柔道部でいじめにあって、それで挫折したという見方もあります。

「その辺はよくわかりませんね。しかし、あそこは柔道では有名な高校だったから、一夫にしても『しごき』は承知で入ったはずでしょう。中学では通用したかもしれないが、体は小さいし、高校の柔道のレベルはちがいます。いじめ、しごきというより、それで落ち込んでしまったとも考えられるのではありませんか」

――横道にそれて行くのと、踏みとどまるのと、いったい何が別れ道になるのでしょう。

「わかりません。教師でありながら、と言われても答えようがないのですよ」

女性教師は率直に語った。なにもかもノーコメント、という校長や男性教師より、はるかに誠意のこもる受け答えと言える。

それにしても「切ってしまう」のひと言は、胸にこたえる。

無反応、非協力、何を考えているかわからない表情の下で、何か燃えさかっていたものがあったかどうか、余人にわかるはずがない。本人でさえ、まるで気づいていなかったのである。

母親によれば、このころ三雄は「バスケットボール部でほんとうに一所懸命やっていたのに、急に気が抜けたような状態」となった。二年になって夏休みの前、事件が起こる。友人二人が服を買いに行くのにつきあった帰り道、ほかの中学校の生徒十五人ほどとすれちがったとき「ガンをつけたな」と言いがかりをつけられ、公園のトイレに連れ込まれて約一時間にわたって殴られ、脅された。三雄はカネを持っていなかったが、持っていた二人の友人はカネを奪われた。

話を聞いた母親は「警察に届けよう。すくなくとも、学校には報告したほうがいい」と言ったが、三雄は「そんなことをしたら、どんな仕返しをされるかわからない」とやめさせた。そういうことがあって夏休みとなったが、両親が仕事に行っている間、三雄は家に閉じこもりきりの状態となる。母親が診療所から帰ってみると、ひどい暑さだというのに、家中のドア、窓をしめきりにしていて「もしかすると、この子、おかしくなったのではないかしら」と心配した。

高校進学について、本人は都立の工業高校を希望していたが、担任に、偏差値が足りないとして別の高校を受験するようすすめられてその高校を受験、合格する。しかし、授業について行けず、遅刻、欠席が見る間に増えた。中学校時代の友人で、進学しなかった者とつきあううちに、髪の毛を脱色したりする。

母親が語る。

——高校に入った年の八月十三日から五日間、お父さんとお兄さんと三雄君の三人で、岩手県のお父さんの田舎に行きましたね。

「はい。急にきまって行くことになりました」

——その旅行で、お父さんが三雄君と話し合ってほしい、という気持があったんでしょうね。

「そうです。そうしてくださいと主人にお願いしました。今が正念場だから、きちっと話し合って、今後の方向をきめてほしい、ということで送り出しました」

だが、旅行は何の役にも立たなかった。母親が「せっかく入った高校なんだから……」などとひと言でもいい出そうものなら、火のついたように怒り出すので、手のつけようがない。九月末、退学届を出す。

そのとき、弁護人の冒頭陳述によれば、両親はこんなふうだった。

「母親は、息子を心配して相談に乗ろうという努力は続けたが、勉強に挫折していらいらや不満をつのらせている本人がかわいそうである、という気持があり、結局、有効な対策を講じることはできなかった。

父親は『勉強だけが人生ではない』『無理に学校に行くことはない』というような、一見もっともらしい理屈に逃げて、なんら有効な対処を行なわなかった。

こうして、高校中退は、客観的にも、また心理的側面においても、被告人の無軌道な生活を一気に拡大する条件となった」

こんな父母は世間にいくらでもいる。父であり、母であり、子を誰よりも愛しているからといって、すべての男女がすぐれた教育者、宗教家、道徳家になれるわけではない。学業に挫折した子の前で、オロオロと立ちすくむ。あるいは「人生、勉強だけじゃあないよ」などと言って、風の当たらないところにとりあえず避難する。これはむしろ、多数派と言ってよい。

そういう父母を、弁護人は冒頭陳述のなかで「問題あり」と厳しく指摘した。

この父母の下で、どんな子が育ったか。弁護人が最終弁論で引用した「心理鑑定」にはこうある。

「意志の自発性と持続性に乏しい性格。勉強でも運動でも、与えられた課題を、積極的に続けて行なうということができ難い。安易に流れ、他から働きかけがないかぎり、無為に過ごすことを好む性癖が強い。したがって、行動はおおむね受動的であり、風にそよぐ葦のように、外界からの影響によってよくも悪くもなる。内面が未発達のため未分化で、社会的規範が内面化されておらず、また、他者の存在や幸福に関する想像力である情性が著しく未発達であることも否定できない。意志欠如性と情性希薄性をもつ精神病質者」

さらに、鑑定人は弁護人の質問に答え「情性希薄」について次のように供述した。

「ほかの人に対する想像力が欠けていて、苦痛とか幸福とかいったものに対する配慮が非常に乏しい……」

これもまた、珍しくもなんともない、あまりにも見馴れた少年の姿――。

高校一年の夏、すなわち昭和六十三年八月、三雄は次郎、司郎たちとひさしぶりに出会い、たちまち、遊び仲間となる。少し遅れて、これに一夫がリーダーとして加わり、その冬、おそるべきことをしでかすグループが形成された。

「仕事を探すんだ」と言って、アルバイト求人誌などを眺めているが、いっかな仕事につこうとしない。「十月から必ず就職する」と言っていたのに、その十月も過ぎた。ひっきりなしにいらいらしているようで、些細なことですぐ暴力が爆発する。

十一月初旬、強姦事件の容疑で警察の取り調べを受けた。帰ってくると、取り調べのようすを再現し、自分が警官に聞かれた質問を母親にする。答えられるわけがない。息子は逆上し、母親をめちゃくちゃに殴った。母親の証言。

――どんな乱暴をされましたか。

「叩かれました」

――どこを?

「どこだったかしら。そのときは、あちこちをだいぶ叩かれましたから……。それで、私は家を出ました」

――家を出て、どこに行きましたか。

「知り合いのところに行きました。最近の三雄のようすがおかしいし、夜も出歩くようなことになっていましたので、父親と息子とよく話し合ってほしいと思いまして、しばらく知人のところにいるつもりでした」

帰宅した夫は「変事」を予感して、心当たりに電話をかけまくった。長男は、母親の写真を持って駅前を聞き込みに回る。その夜の夜半、居所がわかって家に連れ戻された。

――十一月二十三日にも乱暴がありましたね。

「皮ジャンを友人から二万円で譲ってもらうからおカネがほしい、ということから始まりました。私からではなく、お父さんからもらいなさい、と言ったのが気にくわなくて。そのときはひどかったんですね。逃げても追ってきて……」

――どこまで逃げたんですか。

「何百メートルも逃げました。そういうのは初めてでした」

この弁護人質問のあと、検察官が細部にわたって質問した。「息子にどんなふうに殴られたのか」と聞かれて「あんまりよく覚えていない」と答えた母親に、検察官は「そんなはずはないだろう」と、さらに追いうちをかけた。

——それだけやられたというんだったらば、相当印象に残っているんじゃないですか。

母親は涙声になる。

「そうですけど、やられることより、なんでこういう子に育ってしまったのかと、自分自身、反省する気持がすごく強かったので、そのことをずっと考えておりました。この子をどうやって目覚めさせていくか、ということを……ですので、痛みよりも……どうやって立ち直らせたらいいか、とそればかり考えておりましたので……」

事件が起こり、異常な経過が報道されたとき、人々は「それにしてもなんで……」とある一点にこだわった。「あの家の両親に関して、何か、公表されていない秘密があるのではないか」と疑問を口にする人もいた。

異常も秘密もありはしない。ここに、悲劇の伏線が残酷かつ周到に張られていた。

第六章　ドラゴン・クエスト

一年に及ぶ公判を通じて、傍聴人をもっとも悩ませたのは司郎である。声が小さくて、傍聴席の最前列、証言席からほんの三メートル足らずのところにいても、弁護人や検察官、裁判官の質問に答えて語る言葉を聞きとるのがひどく難しい。地の底からかすかにもれてくるような声で、必要最低限のことしか答えない。事情の説明、情景の描写はほとんどなく、表情のない言葉が、途中でフッと消えてしまう。

ところが、からくも聞き取った声を文章にしてみると、プツリプツリと切れている言葉と言葉の間から、ときに、深くて暗い谷に吹く風の音のようなものが聞こえてくる。かすかなかすかな風の音が、突如、傍聴人の胸を鋭く切り裂くこともあった。

平成元年十一月、弁護人は二度にわたる公判で、警察官や検事がとった司郎の調書について、事実との食い違いを立証しようと試み、本人に質問した。

司郎は、被害者が死亡した現場に立ち会っていない。したがって、遺体の処理作業にも加わらなかった。検察側の冒頭陳述でもそうのべている。にもかかわらず、彼自身が書いたとされる上申書には「ぼく（司郎）の部屋にあるバッグに死体を入れると一夫が話し、ぼくたちもそうしようと思いました」とある。弁護人がその明瞭な矛盾点を聞く。

――「ぼくたちもそうしようと思った」とあるが……。

「いえ、そういう話はしなかった」

――でも、これはきみの字でしょう?

「はい」

――きみが自分で書いたんじゃないの。

「書きましたけど」

――なんでそんな話を書くの?

「言われたとおり書いた」

――ぼくはそんなこと知らなかったから書けません、と言わなかったの。

「なんか、そんな話になって……」

――きみ、この上申書に漢字をずいぶん使っているね。この漢字は知ってたの?

「いえ、全部むこうで教えてくれました」

――文章の内容も漢字も、警察の人が教えてくれたの?

「はい」

――検事さんの取り調べはどうでしたか。自分の言うことは全部聞いてもらえましたか。

「いえ、聞いてはくれなかったです」

――きみが嘘をついていたからか。

「いえ。なぜか、初めから聞いてくれなかったんですけど」

――きみの調書だよ。きみの気持としてはどうなんだ。

「ぼくは、そういうつもりはなかったんですが……」

――きみはなんと言ったの？

「いえ、ぼくは何も言ってないんですが……」

――ずいぶんとちがうことが書かれているね。

「はい」

――なんできみはこれに署名したのかね。

「いえ、考えてなかったんですが……」

――検事に脅かされたのか。

「脅かされはしませんが……」

――暴力を振るわれた？

「暴力は振るわれていませんが……」

――じゃ、なんでこんなにちがうことが書いてあるのかね。

「聞いてくれなかったので……」

――きみがしゃべらなければ調書はできないんだよ。

「検事の人がしゃべって、隣りの人が書いた」

――きみは、黙っていたのなら署名しなければいいじゃないか。

「たぶん、めんどうくさかったからだと思いますが……」

――内容が全然ちがうのに、めんどうくさいから署名した？

「聞いてくれないなら、言っても無駄ですから……」

東京地方裁判所の法廷に、地底から吹いてくる風の音が聞こえた。乾いた風の音を聞いたのちに、弁護人は最終弁論でこうのべた。

「被告人は、自分で考えてもどうしようもないことは、考えないようにした。考えない、悩まないことこそ、被告人が誰の助けも借りずに生きてゆける、唯一の道として残されていた。

聞いてもらえないことがわかると、被告人の変わり身は早い。何を言われても『はい、はい』とうなずいてしまうのである。弁護人自身、当初、被告人のこの性格が見抜けず、なかなか被告人を理解できなかった……」

弁護人は、平成元年十二月十四日、被告人の生い立ちについて聞いた。

――小学校の生活を振り返ってみて、今から思うと楽しい生活だったか。

「楽しくはなかったですが」

――小学校には、いやいや行っていたのか。

「やはり、いやいやでしたが」

――どうしていやいや行ったのか。

「楽しくなかった」

――小学校の先生で、今思い出してもいい先生だったな、やさしかったな、という先生はいた？

「ぼくは思わないんですが、普通の人が親切だと思うのは（教師の名をあげて）先生じゃないですか」

――きみはそう思わなかった？

「ぼくは迷惑でした」

――どうして？

「（授業の）あとで、勉強とか教えてくれる。そういうのはやりたくないので、迷惑でした」

――三年か四年のころ、クラスの人から殴られたか何かしたことがある？

「はい」

――どういう理由で殴られたかわかる？

「……」

――何人くらいいた？

「結構いました」

――五人、六人、それとも十人？

「十人くらい」

――囲まれた？

「ぼくは逃げますから」

――それを追いかけてくる？

「待っていて」

――ずいぶん殴られた？

「結構殴られてるんじゃないですか」

――きみの小学校時代の写真を見ると、ニコニコ笑っていて、とても明るい少年というイメージなんだけど。

「写真を撮ると笑いますから」

――いつも笑っちゃうの？

「カメラを向けられると、いつも笑っちゃうんです」

――結構いい笑顔をしているんだが、あれは演技なの。

「あれはただひきつっている。カメラを向けられるとにこにこ笑っちゃうあれですから」

――ほんとにおかしくて笑っている顔じゃないわけか。

「あれは単なる、カメラを向けられて、なぜか笑って、それで我慢して写っている顔……」

証言席にいる姿を後ろから眺めると、肩のあたりが薄くて、ひどく頼りなげに見える。坊主刈りにした後頭部に、一個所、円形の白髪部分がある。聞きとれぬほどの声でいじめられた経験を語りながら、ときおり、言葉に白い光りがひらめく。

母親は昭和二十年、東北の生まれ。家は農家で六人姉弟の長女。中学を卒業して美容院の住み込み見習いとなる。朝早くから深夜にいたるまで、あらゆる仕事をやらされた。前後四年間、そういう生活を送ったあと、通信教育で美容師の免許をとり、上京。三年後、やはり住み込みで働いていた美容院の長男と結婚。一女、一男を得る。

息子が小学校に入学する前、夫が仕事をしなくなり、母親は二人の子を連れて家を出、工場に働き口を見つけた。別れた夫が母子の居所を知って何度か訪ねてきたが、追い返す。幼い息子も「お前、上がってきちゃ駄目だ」と手を広げて拒否した。父親はのち、交通事故で死んだ。

母親の法廷外での証言。

「離婚したあとは、養育費をもらうこともなく、女手ひとつで子ども二人を育ててきました。司郎が小学校一年のころ、落ち着きがなく、教室ですぐ席を離れ、立ち上がって歩き回るといった行動がめだったので、児童相談所に相談に行ったことがあります。そこで『気が弱ければ自閉症になっているところだが、気が強いので情緒不安定になった。父親を欲しているのに離婚により拒否されたので、こういう状態になっている』などと言われました。

小学校二年から四年ごろまで、学校でよくいじめられました。学校の先生に『注意してほしい』とお願いに行ったこともあります。五年のときには、いじめた子のお母さんに注意してくださいと先生にお願いに行きました」

四年生のとき、椎間板ヘルニアを病み、腰にさらしを巻いて学校に行ったら、クラスの子に「お前、病気でもないのにそんな格好をして……」と言われ、足で腰のところを踏みつけられ、逃げるのを校門の外まで追いかけられる、ということもあった。司郎がいじめられて帰ってくると、母親は「泣いてどうするの。負けちゃ駄目なのよ。勝つのよ。がんばるのよ」と声を励ます。幼いころから人生の辛酸をたっぷり味わってきた母親は「貧しい者はくじけたらおしまい。どんな目にあっても耐えないことには、私たちのような人間は生きていけない」と固く信じていた。泣いている子を抱きあげて「ああ、よしよし。どの子がぶったの。そうなの。悪い子ね。ママがやっつけてあげるからね」などと言っていたのでは、人なみに立って歩くことさえできなくなる。彼女にとって、それが当然の原理だった。

不幸なことに、酷薄の都会で子ども二人を育てるこの女性がつねにタフだったわけではない。

近所の菓子屋で万引き事件があり、店の主が司郎の家にやってきた。「お宅の息子さんが万引き仲間に入っていたらしい」と言う。母親は司郎の話を聞くまでもなく頭を下げて謝り、ガム一個分の代金を支払った。

司郎には、盗んだ覚えがまったくない。にもかかわらず、この世でただ一人の保護者であるはずの母親が、息子よりも他人の言うことを信じて有罪を認めた。自分から何かを語り出すことのきわめて少ない司郎が、このことについては家庭裁判所の調査官や弁護士に進んで話した。

また、この母親は、いじめのことで教師に会いに行ったとき、学校の管理責任を追及し、教師の監督不行き届きをなじる、などということをいっさいしなかった。「ご心配かけてすみません」「お手数をかけて申しわけありません」と最初から頭を下げてしまう。学校の教師、役所の役人、店の経営者。彼女にとってはすべてが強者、優越者に見える。強者の前ではとりあえず姿勢を低くする。腰をかがめる。これもまた、十代半ば以来、彼女が学んできた「弱者のサバイバル」原理だった。

ガム万引き事件のことを当の母親は忘れてしまっている。世間様に向かってひととき腰をかがめ、嵐をやり過ごす作業は日常的なことであり、それはもう屈辱でさえない。苦闘の人生で経験したその種の作業をひとつひとつ記憶に留めるには、同じようなことがあまりにも多すぎた。

しかし、息子の心の底には深い外傷が残った。

別の記憶。司郎の髪は生まれつきウェーブがかかっていて、天然パーマの格好になっている。前にものべたとおり、通学した中学校の髪型・服装検査は徹底していて、教師がその髪をとがめた。他人と交信することの不得意な司郎が、不器用に「これは生まれつきのもので、パーマをかけたのではない」と説明しかけるのを、教師は「この期に及んでヘタな言いわけをする」とさえぎり、体罰を執行した。

司郎は帰宅して、これは理不尽な処分であり、このことを教師に抗議し、無実を主張してほしい、と母親に訴えた。母親は息子の頼みを聞き入れ、学校に出向いたが、いざ教師と向き合うと、抗議するどころか、一も二もなく相手の言い分を了解し、あろうことか頭を下げ、何ごとかわび言らしい言葉まで残して帰ってきた。

「私は田舎の中学しか出ていない」という抜きがたいコンプレックスがある。大学を出た者は、つねに自分たちの上位にあり、理解できないことを理解する能力がある。彼らがシロと言ったら、クロと見えるものも実はシロなのだ、シロと見なければならない、納得できなくても、とりあえず上位者の言うことを認めるのは安全な策である――そう考えることに馴れている。

息子は、この屈辱、不条理に耐えられない。弱者の生活の知恵を知るには若すぎる。そもそも、母親が日常的に経験してきた切迫感がない。母親は苦闘を重ねていたが、その庇護の下で育った息子にとっては「飢える」という言葉になんの現実性もないのだ。

「母親は、自分を守ってくれない……」

これもまた、心の外傷となった。

息子がどう受けとめたにせよ、仕事をしない夫を拒否し、自分一人の手で二人の子を育てる決意をし、誰の援助もなしにやり通した女性が、けなげでないはずがない。

司郎の姉は、そういう母親を見て成長し、彼女自身も気丈でしっかり者の娘に育った。勉強はそんなに好きではなかったが、中学生のころから年齢不相応の是非判断力、問題解決能力を備え、自分の責任において行動することができた。母親への思いやりがあり、一歳年下の弟をかわいがった。

姉は高校を一年で中退したあと、縫製工場に勤務。月給は一家の生活費としてそっくり母親に渡し、自分自身は月に五千円ほどの小遣いをもらうだけ。今どき、こんなことをする娘はめったにいるものではない。工場では、真面目できちんとした仕事ぶりが認められ、上司に「縫製だけではなく、裁断のほうもやってもらう。それだけのことができる子だ」と期待された。

同じ母親に同じ姿勢で育てられ、一人はそういうけなげな娘に、一人は心に傷を持つ息子になった。いったいどこに別れ道があったのか。母親には見当もつかない。

弁護人質問に対する司郎の答。

――小学校のころ、きみが学校で殴られたりしたことを、お母さんは知っていたの。

「知ってました」

――それに対し、どういう対応をしてくれた？

「何も対応しなかった。なんにもない」

――きみを殴る同級生に、そういうことをしてくれるな、という話をしてくれたかな。

「そういうの、いっさいなかったんじゃないですか。何もしてくれなかった」

――中学校での出席率は最初、なかなかよかったが、二年生になってからだんだん休むのが増えたね。その原因はなんだったのか。

「理由ですか。うちのお母さんと学校」

――学校が原因だったというのは、どんなこと？

「規則が厳しいし、先生が暴力ばっかり振るう」

――きみも殴られた？

「はい。頭とか」

――たくさんの生徒が殴られた？

「殴られました」

――殴らない先生っていた？

「一人ぐらいいたんじゃないですか」

——ほかの先生はほとんど殴る？

「ほとんど殴った」

——とくに理由がなくって、理不尽に殴るなんてことは？

「理不尽に殴られた」

——お母さんが原因というのは？

「たしか、言い争いから始まって『学校行かない』と言ったら『行きたくなければ行かなくてもいい』と言った。とんでもない親だと思いました」

——お母さんのこと、信用してないの？

「信用してないです」

——どうして？

「性格も暗いですし、嘘つきですから」

——お母さんがきみの（遊びに）行くところに（看視や聞き込みのために）行った。そのことか。

「きたろう？　と言うと『行ってない』とか言って」

——自分の部屋のなかのものをいじるな、と言っていたのにいじった。「いじったろう」と言ったら「いじってない」と言った、なんてこともあったそうだね。

「はい」

——でも、そのくらいの嘘だったら、ほかの家庭はどうか知らないけど、私の家にもあるし、それだけでお母さんを信用しないというのは大げさじゃないのか。

「まあ（嘘をついた）数によってです」

——そういう嘘をしょっちゅうついていた？

「たいてい、ぼくの知っているのは全部嘘です」

——それで信用しなくなった？

「嘘のかたまりのように見えましたから」

ひきつづき、検察官も質問した。

——きみから見て、姉さんはどういう性格か。

「……」

——明るいとか暗いとか、しっかりしているとかしていないとか、何か感じることはないか。

「明るいんじゃないですか」

——姉さんは仕事をちゃんとしているね。

「まあ、今は一応やっています」

――一応というと？

「ぼくが事件を起こしたので、引っ越さなくちゃいけなくなったから（職場を）変わりました」

――きみから見て、姉さんは頼りになる人か。

「初めから頼りにしていないので」

――きみは、男である自分がちゃんとして、お母さんや姉さんを安心させてやらなくちゃいけない、ということを考えたことはないか。

「いえ、ないです」

――きみは自分の性格をどう見ているか。

「結構、適当です」

――先のことはあまり考えず、楽しければいいということか。

「楽しければとか、もともと先のことは考えないですし、その場でやりたいことをやっているということですが」

――やりたいことは、どういうことか。

「テレビを見たかったらテレビを見る、ということですが」

――運動は何かやるのか。

「中学のときは水泳をやっていました」

――きみは早く泳げたのか。

「競争したことがないからわからない」

――運動神経がいいとか悪いとかは、だいたい、わかるのじゃないか。続ければ相当になりそうだという気持は持ったか。

「ただ水泳が好きだったから（水泳部に）入っただけなんで」

検察官は小さくためいきをつき、聞きようによっては疲労のにじんだ声で「終わります」と言い、腰を下ろした。

後日、証言席についた所轄署の警官は、この少年を本件で取り調べてからわずか二日目に、事件のほぼ全貌をのべた調書をとり、長文の書面を一時間ほどの間に書かせた、被告人はスラスラとすなおに話した、などと証言した。それに対し、弁護人は「私自身は、司郎君と心を通い合わせるのに非常に時間がかかったものですから、あなたが二日目にこれほどくわしい調書を取られるというのはすごいことだと思います」と感想をのべ、警官は「当時は本人がどういう人間であるかというところまでは把握しておりませんでした」と答えた。

弁護人は、最終弁論で次のようにトレースしている。

「幼少時に父親を失った被告人にとって、母親は唯一の心のよりどころとなるはずだった。その母親は、若いころから苦労を重ね、他人に弱みを見せたくないという自負があった。苦労の過程でさまざまな不合理にも出会った。不合理だとわかっていても、これに逆らうことができず、じっと耐えてきた。苦労は母親を忍耐強い人間にしたが、同時に、不合理な主張に対しても、相手の立場が強そうであれば、不満があっても黙って従ってしまう生き方を植えつけてしまった。そこでは、相手の意見に耳を傾け、いっしょに物事をきめるという考え方が育つことができなかった」

「母親が息子のためにと思って行動しても、それは息子の意見を聞いたうえでのことではなく、母親の独断に基づくものが多い。だから、よい結果が得られても、息子はそれを喜びとは感じないし、母親と喜びあうということにもならない。よい結果が得られなければ、母親に対する不信が残るばかりである。息子が、母親は昔から嘘のかたまりだったということの裏には、このような行き違いの連続があった」

そして「鑑定書要旨」。

「現在症では、早幼児期脳障害の存在を示唆する複数の所見があるものの、これを断定できないが、いずれにしろ、これらや、幼児期の父子・母子関係に恵まれず、社会化が不十分であり、学校でも孤立無援の感情のなかに育ち、絶望感・抑うつ感に支配されながら、無気力・無感動・無関心・持久力の欠如などの人格像を形成して、思春期・青年期にいたり、環境からの誘惑に抵抗することなく非行少年となり、可能性として持っている資質は十分に開花しないまま、また社会が期待する年齢相応の達成課題をまったく拒否した状態のまま、性衝動や攻撃衝動に対処しなければならない思春期の危機を迎えて、本件犯行にいたったものである。

精神状態は、年齢に比較して著しく未熟・未分化で、情性に乏しく、意志欠如プラス情性欠如型の複合精神病質者ということになる」

言うまでもなく、精神病質者は精神病患者ではない。もともとは、ドイツ精神医学界で「極端な性格異常」という広い意味で用いられ、ドイツの精神医学者、K・シュナイダーは「自己の性格の偏倚のために、自己または社会を悩ますもの」と規定した。かつて、少年鑑別所技官をつとめた水島恵一という人物が、著書『非行社会病理学』のなかで次のように要約している。

「しかしその後、主としてアメリカにおける精神力学の発達のため、神経症的性格は、神経症の一環として力動的に把握され、このため、神経症的性格をのぞいて狭義に精神病質という概念が使われるようになった。さらに、犯罪・非行研究者の間においては、非行者に典型的な基底的性格の存在を否定できず、もっとも狭義においてこれを精神病質と名づけるにいたった。すなわち、クレッカリー（一九五九年）によれば、それはつねに行動問題を起こし、経験からも罰からも教訓を得ず、他人、グループ、または規範に対して真の関係を持てない情緒的未成熟状態であり、マクコード（一九五六年）によれば、反社会的攻撃的衝動的性格で、罪悪感を持たず、他者との愛情的きずなをもてないものである」

情性欠如は、シュナイダーが報告した精神病質人格のひとつのタイプ。人間的感情、すなわち同情、良心、後悔、恥を知る心、他人に対する思いやり、悲哀といった人間らしい感情に欠けた者を言う。福島鑑定は、四被告に共通するパターンとして、この精神病質と情性の「欠如」ないし「欠如傾向」「希薄」をあげたのである。

問題は、何をもって「偏倚」（かたより）とし、何が「人間的」なのか。そして、社会的規範とは何か、という点だ。

シュナイダーが性格異常の類型分類のなかで「情性欠如」という言葉を使ったのは、一九四〇年代。社会的規範や人間行動のもろもろのスタンダードが、当時と現在の間に大激動をとげていることは言うまでもない。半世紀前に「人間らしい」とされていたことが、今では「非人間的」と定義されかねないことさえありうる。人間の変化が、単なる風俗や生活習慣、ライフスタイルだけではなく、その皮膚や頭蓋骨の下にまで及んでいるとしたら、どこからどこまでが「正常」であるか、という境界そのものが見えなくなってしまう。シュナイダーが分類を試みたころの境界線が、思いもよらぬところにまでズレ込んでいないとはかぎらない。

もうひとつ、福島博士は法廷に証人として出廷し、三雄の弁護人の質問に対しこうのべた。

——先生も、シュナイダーの学説を採用されていると理解してよろしいでしょうか。

「シュナイダーはよく使われている学説です」

——シュナイダーが類型を作るに際しての科学的な分析手法ですが、シュナイダーは主に非行ないし犯罪者の行為について分類したのか、あるいは、病理学的、医学的な見地からの精神的な特徴による分類なのか、どちらでしょうか。

「シュナイダー以外の分類が、行動や表情とか形質方面をとらえて分類していたので、シュナイダー自身は、心理的な特徴に還元しようとしてあの分類にしたと思います」

——心理的な特徴ということですが、その基礎的な分類としては、行為者の行為から分類していくしかありえない、ということになりますでしょうか。

「そうです。行為から心理を推測すると言いますか、演繹する立場だと思います」

――そうしますと、本件においても、先生がたとえば情性欠如というふうに分類される場合、本件において被告人らが行なった行為等々を整理して、その精神状態をそのものの行為類型に当たる、こういうことでございましょうか。

「そうです。とくに重要なのは、本件もそうですが、同時に、今までの生活史に見られるような行動ということですね」

すなわち、ある人物の過去の生活史に現れた行動、最後に行なった犯罪の態様を見ていって、そこから性格類型を分類する、ということである。俗に言えば、これほどのことをやった者は情性欠如、この程度なら欠如までいたっていない、などとする手法だ。

かつては、大多数（正常）の者はこの種の行為をしなかった。したがって、それを行なう者は異常人格と断定された。それでは、人間の深奥部に変化が起こっていると仮定した場合、どうなるか。行動に尺度をきめて、それから正常・異常を断定するやり方が、はたしていつの時代にも通用するものなのかどうか。

アメリカ心理学界の権威、バークレイ・マーチンは『異常心理学入門』のなかで「米国における犯罪、非行の発生率は、諸外国に比べて高く、増加の一途をたどっている。乗用車の窃盗の大半、およびその他の窃盗、強盗のおよそ半数は、十八歳以下のもの――いわゆる青少年非行――による」（伊沢秀而・柳原正文訳）としたうえで、犯罪者を神経症型、精神病質型、低文化型に分類、精神病質者の特徴をつぎのように書いている。

「われわれが精神病質型と称している犯罪行動は、最近の精神医学の診断では、反社会的反応と呼ばれることが多い。この型のものによくみられる特徴を以下に要約することにしよう。これは精神病質の研究を精力的に行なった精神科医、クレッカリーの仕事にもとづいたものである。

良心の欠如――羞恥、不安、良心の苛責といったものを覚えることなく、詐欺や窃盗、傷害をやってのける。

刺激の探索――強盗をやってみたり、新種の薬物をためしたり、性的逸脱行動をおかしたりというように、常に未知のスリルや体験を求める。

欲求の抑制困難――概して衝動的で、将来を見通して目先の充足を抑えるということができない。したがって、どのような仕事にもつきものの勉励に耐えられず、転職が多くなる。

反省能力の障害――犯罪で何度も逮捕され、そのつど、いろいろなかたちで罰せられても、そこから何かを学びとることもないらしく、その後もひんぱんに同じことを繰り返す。

好印象を与える能力——知的で好感がもて、才気あふれんばかりにふるまうことができる。

他人との深い情緒的関係の欠如——他人との関係はうすっぺらで、結束や誠実さを欠いているのが特徴的である。愛情に裏づけられた情動の接触というものができないので、自分の妻子にさえ他人行儀に冷やかに接する」

今は、精神医学者でなくとも、同じようなことを語る。「最近の学生ときたら……」「今どきの新入社員は……」などなど、日常的に繰り返される言葉である。この引用から「犯罪」に関する単語をのぞけば、そのまま、既成世代が若者に関して語る、あまりにも陳腐な愚痴のパターン集になってしまう。

二十世紀の中ごろ、精神医学者たちは「神経症と分裂症の中間」にある状態を「ボーダーライン・ステート」（境界状態）と呼んだ。これはさらに「正常や神経症、精神病質の境界」となり、さらに「境界性人格障害」（ボーダーライン・パーソナリティ・ディスオーダー）という考え方に発展した。アメリカの精神障害診断基準ＤＳＭⅢ（第三次診断統計便覧）によれば、次の八項目のうち、五項目に該当する場合、ボーダーライン・パーソナリティ・ディスオーダーと診断される。

① 自己破壊的衝動性（浪費、淫乱、賭博、過食、嗜癖、万引、自傷行為のうちふたつ以上にわたる）。
② 不安定だが、強烈な人間関係、人への評価の逆転（理想化したり、見下したり、操作したりなど、めまぐるしく変化する）。
③ 場違いな激怒あるいは怒りの抑制欠如。
④ 同一性の障害（自己像、性同一性、友人関係、価値観についての不確実さをふくむ）。
⑤ 情動不安定（通常の気分から抑うつ、焦燥、不安へとめまぐるしく変化するが、ほんの二、三時間続くだけで、じきに通常の気分へと戻る）。
⑥ ひとりでいることにともなうさまざまな問題、孤独に耐えられないこと。
⑦ 自傷、何度も事故を起こす、狂言自殺、喧嘩。
⑧ 慢性的な退屈さと空虚感。
〈馬場謙一他・編『現代社会の深層』の一章「ボーダーライン・パーソナリティ」〈吉松和哉〉から〉

これまた犯罪に属する部分をのぞけば、現在、多くの人々が馴れ親しんだ状態ということができる。五十年前、精神医学者や心理学者が、行なわれた犯罪行動の結果、態様から演繹して「犯罪者特有の異常人格」と見たものと、現在ただ今の平均的人間像の間に存在する差ないし境界が、ひどく見きわめにくくなっているのである。

「ボーダーライン・パーソナリティ」の筆者、吉松が書く。

「一昔前は、このような人格像をもった人をみることが少なく、そういう人は明らかに社会的な変わり者、あるいは脱落者とみなされることが多かったのではないだろうか。ところが今日、とくに思春期の人たちのなかに、このようなタイプの人をみる機会が比較的多くなっているような印象を受ける。実際、家庭内暴力少年のある典型例は、このボーダーライン・パーソナリティ・ディスオーダーと非常に重なるところがある」

文部省の『平成元年度学校基本調査速報』によれば、昭和六十三年度に「学校がいやだ」という理由で年間五十日以上欠席した児童生徒数は、四万二千人。境界線上を、それだけの子どもたちが（潜在的には、それをはるかに上回る数が）見るからに不安げな足どりで歩いている。

感覚的な印象だけではない。クレッカリーが指摘した精神病質型の特徴のひとつ「他人との関係がうすっぺら」について、見てみる。

東京都の生活文化局が東京都立大学教授・詫摩武俊ら学者グループに設計、実施、結果の分析を依頼して行なった「大都市青少年の人間関係に関する調査――対人関係の希薄化の問題とその関連からみた分析」(昭和五十八年)という調査がある。東京都内の中・高校生(十二～十八歳)から無作為二段抽出で選んだ千五十サンプルについて質問書を配付、対象者本人と接触することを原則として回収し、その結果、有効回収標本九百九十八(うち女子五百八人)を得た。

この調査で、大都市に住む少年たちのこんなプロフィールを描くことができる。家では、自分の部屋にとじこもることが多い(二五パーセント)。とくに親しくしている同性の友人とは「遊びに行くときはたいていいっしょ」(五六パーセント)だし「ほかの人には話せない悩みを打ち明ける」(四八パーセント)「よく電話をかけあう」(四五パーセント)。しかし、「人間の生き方などについて真剣に話しあうことがある」のはわずか二〇パーセント。「むきになってけんかすることがある」のもたったの一七パーセント。

「夕日に向かって走ろうぜ」などと冗談を飛ばしあっているくせに、実は心と心の芯が通い合うことの少ない、少年たちの友だちづきあいの薄さがはっきりと見えてくる。

「いじめ」「いじめられ」経験を、中学生では二割、高校生では一割がもち、「いじめる」側は「家出をしたいと思った」「先生を殴りたいと思った」「死にたいと思った」など、暴力志向が強い。どれをとっても、実行すればまちがいなく「非行」「問題行動」に該当するとしてファイル、処理される行動だ。

「いじめられる」側の弁。

「人は自分自身のことしか考えていないと思う」「結局、人間はひとりだけで生きるように運命づけられていると思う」

この若さにしては、いかにも早すぎる見切りのつけ方である。

調査の「まとめ」のなかで、詫摩・山本真理子（東京都立大学助手）はこう書いた。

「このように、現代の青少年の対人関係のあり方を全体にわたって検討してみると、いくつかの点で対人関係が希薄化している可能性が認められる。

その第一は、青少年の対人関係が、親、友人などの一定の範囲の親しい間柄の人物に限定されていて、そこでの人間関係に充足しているためか、それ以外の他者と積極的には関わりをもとうとしない傾向が認められる点である。このように、ごく狭い範囲の対人関係にだけ充足していて、自分と社会的立場の異なる上下関係のある人間関係が、現代の青少年の対人関係には欠落しているように思える。

また、もっとも親しいはずである友人とのつきあいでも、互いに気を使いながら深いつきあいをしようとしない傾向が認められるのも、対人関係の希薄化のもうひとつ別な側面であろう。このような友人づきあいの新しいパターンの（略）背後には、心理特性の分析で認められた『人間不信感』や『孤独感』が結びついている可能性が認められる」

一年間、三十回を超す公判を通じて、傍聴者が見聞きしてきた被告像は、まさにこの分析と一致する。

風俗やライフスタイルの表面が変わっただけではない。五十年前の規範ではどうにも律しきれない、つまり質的な変化をへた若者が、精神病質の異常人格者としてではなく、いかにもスマートな姿態で、続々と誕生してきている、ということだ。

中学二年に入ったころから、欠席が増えるのと同時に、司郎の家庭での行動が粗暴になってきた。母親を殴る、蹴るということはしない。その代わり、机をひっくり返す、ものを投げる、あるいは大声をあげる。学校でいじめられ、疎外され、教師には殴られている自分を、溺れるような愛情で受けとめてくれない母親に、必死の思いでボールを投げているのだが、母親はもちろん気づかず、ただ、息子の荒れる姿に恐怖するだけだった。

息子には、なんとしても高等教育を受けさせたい。中学校だけで終わった自分は、それを思いつめて働いてきた。なのに、その中学校にさえ行こうとしない。しばしば友人の家に泊まり込んで家に帰ってこない。母親は胃痛に悩んで一週間寝込み、五キロもやせた。

思い余って相談した教師から「警察に相談してみなさい。連絡はとっておきました」と電話がかかってきた。警察の少年係のところに行くと「私のほうから司郎君といろいろ話してみましょう」と言う。夜、教師から再び「司郎は帰ってきましたか」と電話。「いいえ、まだ帰ってきません」「それなら一応、捜索願を出しておいたらどうですか」

言われるままに、警察に捜索願を出す。深夜、司郎は帰ってきたが、翌朝早く、警官がやってきて、寝ていた司郎を起こし、そのまま連れ去った。

母親は、警察が息子の悩みについていろいろ相談に乗ってくれているものとばかり考えて、帰宅するのを待つ。なかなか帰ってこない。夕方、警察に電話。少年係の警官はこう答えた。

「ああ、あの件ですか。家裁に送っておきましたよ」

警察では「正当な理由なくして家庭に寄りつかない、保護者の正当な監督に服さない性癖がある」者を虞犯少年として補導し、場合によっては家裁に送る。司郎の場合、寝室から数丁のナイフが発見されたこともあって、その日のうちに家裁送りになっていたのだった。家裁から、身柄を少年鑑別所に送られる。処分がきまるまでにとられる処置だ。二十日後に出た結果は「保護観察」。

鑑別所に迎えに行き、いっしょに帰る電車のなかで、司郎は白い目をして母親をにらんだだけだった。のち、保護司とうまくいかなくなったとき、こう言った。

「もとはといえば、すべてお前のやったことから始まったんだぞ……」

少年非行事件を扱う人によると、こうした場合、一般的に起こるのは、親に対する猛烈な報復行動である。だが、司郎は母親になんの仕返しもしなかった。それどころか、母親を脅えさせていた、ひっくり返す投げるの粗暴なふるまいがピタリとやんだ。ただし、反省し非を悟った息子によって、家庭に平和が戻ってきたのではない。司郎は、鑑別所から帰って以後、母親と食事をともにすることをしなくなった。「母親のドア」を叩いてみても空しかったことを知って、自らのドアに固く施錠し、おのれの内部に閉じこもったのである。

一人でいることがまったく苦にならなくなった。二日でも三日でも、ファミコンの前で一言も発しないまま過ごす。ゲームをしていないときは、茫然とテレビを見ている。ひたすら、それだけの日々。

司郎と検察官の問答。

——きみはファミコンが好きなんだな。

「はい」

——いつごろからやってる？

「中学生のころ……」

——ソフトはどんなのを持ってる？

「今あるのはドラゴン・クエストのⅡです」

——あれは面白いか。

「はい」

——ドラゴン・クエストのⅡは最後までちゃんとやったか。

「途中までやって別のへ行って……」

——最後までやったことないわけか。

「いえ、ⅠとⅢはできましたが、Ⅱは途中まで」

——敵を撃ったりするシューティング・ゲーム、そういうのもきみはやるのか。

「やります」

傷つかないためには、人との交流を自ら拒否するにかぎる。孤独には耐えられるが、攻撃される恐怖に対してはもちこたえることができない。人との交わりや、危険に対する思考を深めるより、すべてを拒否して自分自身の存在を無と化す。その気になれば、壁にだってなっていられる。それがもっとも安全な生き方だと悟った――一年余の間、容易に心を開かぬ司郎を相手に格闘を重ねてきた弁護人は、依頼者の性格をそう分析した。

この徹底的な予防の姿勢は、東京都の調査に答えた者とまったく共通している。

アメリカの女性ジャーナリスト、ケイト・ムーディは『テレビ症候群』（市川幸一監訳・北灘秋子訳）のなかで、こんな事例を紹介している。

――人が人と話したり、読んだり考えたり、要するに、積極的な精神動作をしているとき、脳波には波長の短いベータ波が現れる。反対に、脳の活動が低下すると、波長のゆるやかなアルファ波が出る。テレビを見始めて二十分もすると、大部分の人の脳波にこのアルファ波が現れる。脳波記録装置の研究者で、州立サンフランシスコ大学教授のエリック・ペパーは、テレビ視聴中の子どもの脳波を測定してこうのべた。

「子どもはテレビを見ている間、それに反応していないし、注意を向けてもいないし、集中もしていない。ただ、ぼんやりしているだけである。テレビの恐ろしさは、そこから情報が流れてくるが、われわれはそれに反応しないことである。情報は記憶のプールに直接流れ込む。その情報にいつかは反応するだろうが、しかしそのとき、自分が何に反応しているのか、知らないのである。そして、ずっとあとになって、なぜそれをするのか、どこでそれを教わったかも知らずに、行動する」

ハーバード大学の心理学者、ジェラルド・レサーは、テレビの前でぼんやりしている子どもを「ゾンビー視聴者」と呼ぶ。

もっと俗な方面からの懸念。一九五四年、上院少年非行小委員会のエスティス・キーフォーバー委員長が「テレビは非行の増加に寄与している」と非難。六〇年代の末、ウィルバー・H・スチュアート公衆衛生局長官の下に八百万ドルの予算で諮問委員会を設置。精神医学者、心理学者、テレビ業界専門家などが一万人以上の青少年を対象に、五十種以上の研究、調査、実験を行ない、全五巻に及ぶ膨大な報告書を作った。

その結論。「テレビの暴力シーンの視聴によって、子どもは他人に危害を加えたいという気持をより多く持つようになり、遊んでいるときも攻撃性をしめすようになり、そして、葛藤に直面したとき、攻撃的行動をもって解決しようとする傾向が強くなる。子どもは、テレビで見た攻撃的行動を模倣する。テレビで攻撃的行動を繰り返し見るうちに、条件反応として攻撃的行動が現れる可能性が強くなる。そして、幼小期からテレビの暴力シーンを毎日見ている少年は、非常に攻撃的青年になる可能性が強い。アメリカの平均的な子どもは、五歳になるまでに二百時間以上の暴力イメージにさらされる。十四歳になるまでに、一万三千人の人間が（ブラウン管のうえで）殺されるのを目撃する。

七歳の子どもが、シチューの鍋のなかにガラスの粉を入れた。九歳の子どもが、担任の教師に毒入りチョコレートの箱を渡そうとした。十七歳の少年が、被害者の頭を棒で殴ったうえ、のどを切り裂いた。いずれも、テレビの模倣——。

司郎は、ファミコンやテレビの前でゾンビーになった。中学校の卒業式には「司郎と仲のいい友人が暴れるらしい」という情報が学校側にもたらされたため、司郎と友人は出席させてもらえず、一週間後、校長室で卒業証書を手渡された。高校に進学したものの、まともに登校したのは新学期が始まって一週間くらいまでで、あとはウェーター、空調設備作業員、スーパーの店員などの仕事をいずれも短期間だけ。やがて退学。学ばず、働かず、ゾンビーの日々。

司郎は、この事件の裁判が始まったあと、東京拘置所の独房のなかで至高の平安を得た。母親の面会はことごとく拒否している。「会うと頭が痛くなる」というのが理由。あれほど親に敵対していた一夫、次郎、三雄は、親が面会にきてくれるのをひたすら待ち、法廷で親のことを語るときにはきまって涙を流した。嗚咽して絶句することもしばしば。しかし、司郎だけは例外。

法廷で、弁護人の質問に答える。

――お母さんやお姉さんが自分を育ててくれたことについてはどう思ってる？

「……」

――よけいなことをしてくれた、か。

「よけいでもいいです」

――どっちでもいいか。

「はい」

――ありがたいという気持はない？

「ありがたい、ですか？　育ててくれたことについてですか？」

――無理に言わなくてもいいぞ。

「そういう感覚はちょっとわからない」

――お母さんから愛情を受けていると思うか。

「愛情ですか？　わからないですが。愛情というのがわからない」

──愛情というのは何か、その言葉の意味がわからない？

「よくわからない」

司郎が語っている間、傍聴人たちは終始、身を乗り出して言葉を拾おうとしているが、幸運にも「わからない」のひと言を聞きえた者は、なんということもなく、重心を後ろに移した。

判決が出たあと、司郎の母親は親しい人とこんな話を交わしている。

──嘘つきと言われましたね。

「いろいろ心配してたんですよ。あんなことが起きる前、次郎さんや三雄さんの家の人と集まって、どうしようかと話し合ったりして……」

──それがすぐ本人にバレていたんです。

「そうですね」

──「親が集まって、なんかコソコソやっているんだろう」と言われて「会ったりしてないよ」と言ったでしょう。それがまた嘘になる。親たちはこういうことをやっていると、ちゃんと言えばよかったのに。

「そうですねえ……」

——鑑別所から帰ってきたときは、お母さんが警察に連絡したことを怒ってたんでしよう。

「だから『私が悪かった』とあやまったんです」

——それはおかしい。なんで全部あやまってしまったんです。とりあえずそう言って

すます、というのでは、息子を一人前に扱ったことにはならない。対等に話し合って、

お互いのどこが悪かったかをつきつめるべきだった。

「それがなかなかできなくて……」

——息子さんがお母さんに会おうとしなくなったのは……。

「公判が始まる前まで、会うたびに『あんた、反省してるの。自分のやったことはわ

かっているの？』と言うと、嫌な顔をして黙り込んでいました」

——取調官にさんざんそう言われていたんですよ。そのうえ、お母さんにまで同じこ

とを言われるから、それでそういう反応をしたんだ。

「第一回公判のあと、一夫さんが倒れましたね。（当時、一夫はまだシンナー中毒の

後遺症に悩んでいた）そのことを面会のときに話したら、もっと嫌な顔になって、そ

れ以後、いくら面会に行っても会ってくれなくなりました。牛乳を差し入れしたら、

いちいち便器に捨てるのが面倒くさくてしようがないから、そんなことはやめろ、と

姉に言うんです。花を入れると『みんなゴミになるんだ』と言う……」

――お母さんのことを「あいつ」と言っていた。

「でも、まだ家にいたころ、一時、よくなったんです。『自分の部屋に絶対に入るな。掃除をしてもいけない』と言ってたのが、急に『部屋のなか、かたづけといてくれる?』って言ったり、ドアを開けたまま出て行ったり。ご飯のおかずなんか、私が食べきれなくて残しても、絶対に口をつけなかったのが『それ、食べていい?』って自分から言うようになりました。


ひどかったころは、せっかく作ったご飯のテーブルをよくひっくり返されてしまいました。泣きながら、ご飯の用意をしたこともあります。


このごろは、私一人になってしまったでしょう。ご飯を食べよう、用意をしなければ、という気持になれないんですよ。あんなことをしでかした子ですが、こうなってみると、自分がこの年までなんとか生きてこれたのは、あの子のおかげだったんだな、とつくづく考えるようになりました」

――ねえ、お母さん、親子の愛情というのはね、いくら存在していても、互いに伝わっていないことには存在しないのと同じことなんですよ。

「そうなんですねえ……」

「でも……」と司郎の弁護人が言った。

「今では、母親を『あの人』というようになった。かたくなに面会を拒否していたころに比べ『うるさく言わないのなら、会ってもいいよ』と変化が出ている。何よりうれしかったのは、ある日の接見で『今、何を考えている？』と聞いたら、こんな話を始めたときのことです」

およそ自ら話をしかけることのなかった少年が、こう語り出した。

「人間て、さびしいものなんですね」

――なんでそんなことを考えた？

「さびしいから、集まるんじゃないですか」

――そうなんだろうな。で、誰が？

「一夫や次郎や三雄は、用もないのに集まったりしてたでしょう。あれ、さびしかったからじゃないですか」

チャンスが到来したのを悟って、弁護人がもうひと押しすると、司郎が続けた。

「ぼくは一人でもさびしくない」

弁護人は「そこが問題だな」と言い、その日はそこまでにして別れた。

昭和六十三年夏、そういう少年たちがなかば偶然のようにして集まり、グループを形成した。一夫、次郎、三雄、司郎。四人とも、もののみごとに高校からドロップアウトした。「そのうち、なんとかなるさ」「ちょっとの間、遊ぶか」「好きなことやって、な」そんなことを言いながら、どの少年の胸にも、わけのわからぬ憤怒、いらだちが沈澱している。司郎は依然としてファミコンの前で沈黙しているが、他の三人は猛然とひったくり、強姦に走り出す。

第七章

暗い部屋

昭和六十三年七月、次郎が三雄の家にやってきた。次郎は、三雄の兄の中学時代の同級生。三雄にとっては、同じ中学の一年先輩にあたるが、それまで深いつきあいはない。兄と次郎の共通の友人が、交通事故で入院したことを知らせにきたのだった。

「兄貴いるか」

「今、いません」

「そうか。お前、自転車持ってるな」

「はい」

「オレを駅まで送って行ってくれるか」

「いいですよ」

それが、次郎と三雄のつきあいの始まりとなる。そのころ、二人はともにわけのわからぬ空虚感をもてあましていた。三雄の兄の考え方は、次郎から見ればちょっと固苦しいところがあるが、三雄はそうではない。何か話を持ちかけるとすぐ乗ってくる。二人は、ひんぱんに連れ立って歩くようになった。裁判官の質問に答えて語った次郎の回想。

――きみは「お母さんにもう少し甘えたかった」と言ったね。

「前は、ボケッとしたものというか、モヤモヤッというものがありました」

――そのモヤモヤッとした気持を、きみはどうやって静めた？

「お母さんから離れることで、なくした、というか……」

――そういう寂しい気持とか、甘えたい気持というのは、きみ一人で我慢しちゃうということだったのかな。

「自分から諦めていたというか、そういうこともあったと思います」

――高校のときは？

「ガールフレンドを作って、そっちのほうに甘えるとか……」

――きみが本件のような行動になっていった、その転機となったのはいつごろだと思いますか。このときから生き方が変わったな、という感じはありますか。

「高校に入った、その夏だと思います」

――何か理由はありますか。

「お母さんとケンカしたり、ガールフレンドと別れたりして、何をしていいのかわからないというか……何をやらなくちゃいけないのかもわからなくなりました」

――その六十三年の七月ごろから、ガールフレンドとうまくいかなくなったこともあって、三雄君なんかとつきあうようになった、と言ったね。三雄君らと遊ぶと、どういうところが面白かったのかな？

「安心するというか、三雄とか司郎とか、あまり会話はないんですけど、いっしょにいるのがうれしかったというか」

夜通し、フラフラと遊び歩いて寝るのは朝の九時ごろ。午後の三時か四時ごろに起き、そこに同じような暮らしをしている友人が訪ねてきて、実も何もないおしゃべりで夕方まで過ごす。恐喝のカモになる高校生の帰宅時間に合わせて外出し、運がよければ五千円か六千円の戦果をあげ、またフラフラと夜の明けるのを待つ。そういう毎日。

三雄が弁護人に答える。

——最初に恐喝をやったのはいつごろのことですか。

「だいたい（六十三年の）六月ごろだと思います」

——八月ごろからは次郎君とやったんだと思うんですが、その具体的なやり方を教えてもらえますか。

「自分と次郎先輩で声をかける」

——どういうふうに？

「自転車に乗っている人とかの肩を叩いて、それで振り向いたら『なんでガンとばしてんだよ』と言う」

――そうやって威嚇するわけだね。

「はい。それで『ガンなんかとばしてません』と言う。『ちょっとついてこい』と言って、公園とかに連れてって……」

――きみは中学二年生のころに、いろんな人から恐喝されたことがあったね。

「はい」

――それと同じようなやり方をしたわけ？

「意識してやってはいない」

――次郎君のことはどう思った？

「一対一のときは、盛り上がりというのはあんまりなかったですけど、大勢とか四人くらいといっしょにいるときは、やさしいというか、そういうのがありました」

――きみと二人でいるときは？

「やさしいですけど、なんかちょっと人数が少ないとさみしいというか、そう思いました」

――そういう毎日が面白かったのか。

「面白いというか、別に何も考えないし、先輩とかも、十七歳になるまでは遊ぶなんて言ってましたから……」

高校をドロップアウトし、両親とのつながりがプッツリと切れ、虚無・荒廃の日々。心のなかに大きな穴が空いているはずなのだが、三雄はそれに気がついていない。こんな暮らしを長く続けられるわけがない、という焦燥感は心の底にぐあいよくしまい込まれている。しかし、その貯蔵場所が完全に密閉されているわけではない。ときおり、得体の知れぬイライラがにじみ出してきて、それが恐喝の際の脅し文句に迫力を加える。

司郎は、次郎や三雄ほど行動的ではなかった。この少年にあっては、ファミコンさえあればすべてが完結する。ファミコンのソフトを貸したり借りたりで三雄の家に出入りし、いっしょに遊ぶこともあるが、関心はもっぱらファミコンの画面に集中して、人間的なつきあいは一向に深まることがない。

もともと、ファミコン・フレンドはそういうものだ。数人の少年たちがファミコンの回りに集まることはあるが、一人一人が孤立している。機械を操作している者は、そばにいる者にまったく関心がない。ほかの者はほかの者で、応援するわけではないし、アドバイスを与えることもしない。マンガ本を読むか、茫然と壁を眺めるかして、自分に機械の前に坐る番が回ってくるのをただ待っているだけだ。

さいわいなことに、少年たちはおのれの孤立、他人との隔絶を明瞭に感知していない。それが楽しいのだ、と錯覚している。ザラザラと荒れて、貧しい風景。

十月、この風景に、頭が切れてリーダーシップと腕力にすぐれた一夫が加わる。

昭和六十三年、少年たちによる凶悪殺人事件が続発した。苛烈、陰惨な殺しの手口に、人々は戦慄した。

二月、名古屋。二十歳になったばかりの無職一人と十七歳から十九歳までの少年五人（うち二人は少女）計六人が「バッカン」を企てる。深夜、人気のないところに自動車をとめてデートしているアベックを襲い、金品を強奪する行為だ。

その夜、まず午前二時半ごろ、名古屋市港区内の埠頭で一台を襲う。この車はいち早く逃げ、警察の派出所に逃げ込んだため不首尾。続けて三時半、同じ名古屋港で次の標的をとらえる。

「バカ野郎、下りてこい！」

と怒号を浴びせるなり、男を引きずり出して木刀で徹底的に殴打、現金を奪う。女二人は、女性被害者の髪をつかんでこれまた車外に引き出し、木刀で殴りつけ、着ていたトレーナーをはぎ取って奪った。その後も、両人をめった打ちに打ちすえる。

カネを取るだけなら、これほど手間暇をかける必要はない。「バッカン」本来の目的を早い段階で達成していながら、彼らはなお、全力をあげての攻撃をやめなかった。

さらに四時半、今度は市内緑区内の緑地公園に転じ、のちに殺害されることになる不幸な二人連れに容赦なく襲いかかった。

こんな時間に、六人に取り囲まれたら、たいていの者はすくみ上がる。金品奪取のための威圧行動は、それだけで十分に完結したはずなのに、彼らは必要以上に怒声をあげ、暴れ、人と言わず車と言わず、木刀と鉄パイプで徹底的に打ちのめした。

悪事を働く恐怖に逆上した、とだけでは説明しきれない。カネが欲しい、強姦したい、という一時的な衝動以上の何かがここには存在している。

女性を輪姦したうえ、全裸にし、少女二人がタバコの火を押しつけ、シンナーを注ぎかけ、となおも暴行を続けた。

その後「男のケガがひどいし、ちょっとやりすぎた。警察にバレたらつかまる。帰すわけにはいかない。男を殺し、女は売り飛ばそう。売れなかったら女もやるしかない」と相談がまとまり、翌日午前四時半ごろ、まず、必死に命乞いする男を絞殺した。知り合いの組事務所に「女をどこかに売れないだろうか」と相談に行って相手にされず、翌日午前三時ごろ、女も絞殺。二人の遺体をあらかじめ掘っておいた穴に埋めた。

平成元年六月、名古屋地裁刑事第四部の裁判官は、判決文でこうのべた。

「(女性被害者に対しては)二月二十四日、同女が埠頭岸壁から海中に飛び込もうと試みるほど同女を精神的に追い込み、死の恐怖に長時間さらした末にこれを絞殺したものであるうえ、男性被害者殺害の際には、同人が『殺さないでください』と命乞いするのに耳を貸さずに無抵抗の同人を絞殺し、また女性殺害の際にも、すでに観念し、無抵抗状態の同女に対し『綱引きだぜ』と口にしながら実行行為に及び、いずれの殺害においても『このたばこを吸い終わるまで引っ張ろう』と話しあいながら平然と首を締め続けており、しかも、実行中再三にわたって被害者の生死を確認し、死亡が確認できるまで首を締め続けて殺害しており、執拗かつ冷酷きわまりない。

被害者両名とも、被告人らによって解放されることに期待を持ちながらついに果たせず、男性は女性を被告人らの下に残したまま殺害され、また女性は、さきに男性が殺害されたことを悟り、丸一日、恐怖にさらされながら殺害されたものであって、両名の生前における苦痛および無念さは察するに余りあるものと言わねばならない」

そのうえで、次のような「情状」を書いている。

「被害者らに与える損害およびその重大性をかならずしも十分に認識しえない精神的に未成熟な少年らが集団を形成し、相互に影響しあい、刺激しあい、同調しあって敢行したものであると認められ、右事情は被告人六名の刑責を量定するについて、有利に斟酌すべきものと言うべきである……」

一審判決は、犯行当時十九歳に死刑、十七歳に無期懲役、二十歳に同十七年、十八歳に同十三年、十七歳の少女二人に同五年以上十年以下。十七歳の無期は、少年法第五十一条「罪を犯すとき十八歳に満たない者に対しては、死刑をもって処断すべきときは、無期刑を科し、無期刑をもって処断すべきときは、十年以上十五年以下において、懲役または禁固を科する」によるもので、死刑に相当する「極刑」である。

同年十二月、九州では犬鳴峠《いぬなきとうげ》殺人事件。十九歳の少年二人が、女子中学生とデートの約束をすることに成功した。前夜、顔見知りの少年から車を奪って乗り回していたが、これは軽のワゴン。こんな車では恰好がつかないと思い、いい思案のつかぬまま、午後五時ごろ、町に立っていると、たまたま交差点の赤信号で止まっている軽乗用車を見つける。乗っていたのは、一歳年上の幼なじみの工員。「この車を貸せ」と強引に乗り込み、暴行を加えたうえ、他の二少年も加わって友人宅に監禁した。

早暁、被害者が隙を見て逃げ出すや、執拗に追跡して再び捕らえ、顔が変形するまで殴打。「こんなケガをさせては警察に届けられる。バレないよう、殺してしまおう」と、これまた話がまとまる。

最初に連れて行ったのは、福岡県京都《みやこ》郡苅田《かんだ》町の岸壁。バールで殴るなどめった打ちにしたうえ、海に突き落とそうとしたが、被害者は必死に岸壁のへりにしがみついて抵抗。たまたま通行人の姿が見えたため、その場での殺害を断念して、犬鳴峠に転じる。

被害者は、一度は逃げ出したが「もう何もせん。家に帰してやるからこっちにこい」と言われて引き返したため、命運が尽きる。最後、両手両足を縛られて頭からガソリンを浴びせられ、火をつけたティッシュ・ペーパーを投げこまれて火だるまとなり、のたうち回りつつ死んだ。

殺害計画を放棄する機会は何度もあったが、凄まじい形相となって命乞いする幼なじみに、彼らはついに助命を与えなかった。

主犯格の十九歳は、補導歴十四回。その間、何度か警察官の手荒い取り調べにあって「口惜しい思いをした」と語っている。この件で逮捕されたときは、

「世の中にこわかもんはなかと。こわかとは警察だけや」

とのべた、と伝えられる。

その警察から逃れたいために犯行を思いたった、と供述したが、アベック殺人事件と同様、傷害・強盗の罪を免れるため殺人を犯す、というのはいかにもバランスがと

れない。

一審判決は、主犯格の十九歳に無期懲役。十九歳が五年以上十年以下、十八歳と十七歳が四年以上八年以下。判決文がこうのべる。

「被害者のすぐ近くで、真剣に同人の殺害の方法、場所などについて話しあい（車の）トランク内の被害者に対し『もうすぐ楽にしてやるから』などとその恐怖心をいたずらにあおったうえ、同人の必死の命乞いを無視して結局これを殺害したものであり、その殺害方法は類例を見ないほど執拗、冷酷かつ残虐なものであって、人命の尊貴に対する一片の顧慮もない非道なものである。そして、犯行後は、再び殺害現場に戻って被害者が死亡したことを確認したうえ、証拠湮滅工作をはかっており、そこに成人顔負けの冷静さをうかがうことができるのであって、これら荒廃した被告人らの心情には目を覆うばかりのものがある。

（主犯格の）被告人の犯行については、少年期特有の無思慮、無分別や集団的心理に駆られ、さしたる動機もないのに、勢いのおもむくままに無残に殺害したと認められる点もあること、被告人が現在十九歳の少年であること、多子、貧困の家庭に育ち、その成育歴に不遇なものがあること、本件犯行の重大性に気づき深く反省をし、拘置所において読経をし、被害者の冥福を祈る日々を送っていること、その他、記録上認められる被告人にとって斟酌すべき事情をすべて考慮しても、なお、永く贖罪の生活を送らせるのが相当と認め、主文のとおり無期懲役刑を科することとした」

犬鳴峠の風景は、東京・足立区、夫婦とも働きや、女手ひとつで子どもたちを育てた家庭のそれよりはるかに荒涼としている。

主犯格の少年は、七人兄姉の末っ子。父親は六十三歳で母親とは別の籍になっている。五十九歳で生活保護を受ける母親といっしょに住んでいた。

四十歳で末っ子を生んだ母親は、以来、健康がすぐれず、入退院の繰り返し。末っ子は小学生のころ、しばしば学校を休んだ。度重なるうちに、先生は事情を知ることになる。彼は母親が好きだった。母親に甘えたいという衝動が起こるたびに、飢えたこの子は、朝、家を出るなりその足で病院に走っていたのだった。

母子の事情をよく知る人は、

「誰から聞いたのか、母親が病弱になったのは、自分を生んだせいだ、とあの子が思い込んでいたふしがある」

と言う。

彼の姿が教室に見えないと、先生はただちにオートバイを飛ばして病院に先回りし、うむを言わさず学校に連れて行く。やがて彼は、何かにつかれたように非行を重ねる

ようになり、ついには、

「どうせ先行きたいしたことなんかあるわけない。こうなったら、突っ張れるだけ突っ張ってやる」

と開き直った。

アベック殺人事件の被害者は、男性が理容師、女性が理容師見習い。双方の両親に認められた仲だった。男性が殺されて、自分自身の人生をも失ったと悲観した女性は、思わず、

「お兄ちゃんが死んでしまったら、私も生きていられない」

と口走り、みずから身を投げようとまでした。悲痛なことに、これが幼いアウトロー・グループの激発を招いた。夜ごと、なんのあてもなく集まってくる彼らには、こうした純愛物語は求めても得られるものではなかったのである。

犬鳴峠の被害者は、最初「車を貸せ」と言われたとき「いやだ」とは言わなかった。繰り返したのはただひと言。

「ばあちゃんに叱られるけん」

祖母はしっかり者の女性で、ビルマ戦線で夫を亡くしたあと、女手ひとつで一人娘を育てあげた。娘は結婚し、男の子をもうけたが、離婚。彼女もまた、女一人の働き

でりっぱに息子を育てた。祖母・娘・孫の三人暮らし。祖母は、息子が固い仕事についたのを非常に喜び、就職祝いに軽乗用車を買い与えた。その車を他人に貸したら祖母に叱られる、と彼はとっさに考えて、その思いを口にした。

襲ったほうには、そのように緊密な情で結ばれた家族はない。「ばあちゃんに……」のひと言を耳にしたとたん、加害者の憤怒のスイッチが「ＯＮ」に入ったのだった。

それほど凄まじい憤怒が、瞬間的に発生したとは考えにくい。生まれて十数年の間に、本人の気づかぬうちに蓄積され、圧力を高めていたのである。

弁護人の最終弁論によると、アベック殺人事件の被告人のうち、一人は一歳になったころ、両親が子を祖父母に預けたまいなくなったため、祖父母に育てられた。小学校四年生のころから中学までは、施設に収容され、通学している。

もう一人は、小学校四、五年生のころ両親が離婚。父親に引き取られたが、父親が再婚。若い義母との折り合いが悪く、中学二年になったころから児童相談所や養護施設に預けられた。内面に両親への不信感、不遇感、根深い愛情飢餓感などを強めながら成長した、とされている。性格は「心の奥に深い愛情飢餓感を持ち、閉鎖的な傾向が強く、周囲からの刺激に過敏であって、物事のとらえ方が表面的、一面的になりがちで、視野も狭く、自分本位で感情に走りやすい未熟なパーソナリティ。町で知り合った不良仲間との交友関係のなかで愛情欲求の代償をはかっていた」。

三人目。六歳のときに両親が離婚。母親に育てられる。「母親に、本人のことを考えてやるゆとりがなく、家庭の指導力は不十分、放任されており、家庭は自分の気持を押し殺しながら建前で行動しなければならない息苦しい場所となっていた。資質・性格は虚栄心が強く、仲間の評価を気にし、自分を大きく見せようとする傾向が強く、自己本位、利己的であると同時に、快楽志向や遊興志向が強く、周囲に同調的・迎合的で付和雷同しやすく、目先の快楽や刺激に流されたり、状況依存的、他者依存的で自律、自制する力は弱く、成り行きまかせである」

四人目。妹が急死したことから父親が無気力となり、母親が昼間は結婚式場で、夜はスナックで働く。「鍵っ子同然に育ち、寂しい気持を強めていた。経済的に苦しかったため、給食費などが払えず、友だちからバカにされていた。中学時代から学業に適応できず、不良な交友のなかで安定するようになる。そのため、学校、友人、家庭で疎外され、早い時期から虚勢を張り、暴力でことを解決する傾向を形成した。性格は、本来気が弱いが、それをむりに背伸びし、人に負けまいと虚勢を張りやすいので、強い者に同一視することで自己の安定をはかろうとし、その結果、迎合したり、追従したりするかたちで行動する場合が多く、友だちを作ることには積極的だが、その場かぎりの遊び友だちに留まり、より親密な関係に発展することが乏しく、対人関係は安定した持続的な信頼関係を保つことが少なく、身体とのバランスのとれた社会性が獲得されておらず、情緒的に未熟な傾向が強い」

五人目。家庭環境にとくに問題があったわけではないが「もともと、自己中心的、わがままで支配欲が強く、身勝手かつ独善的な自己主張をしがち。中学のころから快楽志向やうさ晴らしのため夜遊びに興じる傾向があり、不良交友によって気分を発散させ、寂しさを一時的にまぎらしていた。情緒の統制は悪く、些細な刺激で腹をたてやすく容易に感情発散的な短絡行動に走ることが多い。仲間関係においては、単に遊びや不良集団を媒介とした浅い結びつきか、あるいは支配—服従、上下関係を基盤にした一般的なかかわり方しか成立しえないことが多い」。

六人目。家庭環境には格別の問題点はないが「父親が権威的で子どものしつけに厳しく、怖い人だったため反発心を強め、一方では、自己主張を押し通し、権威的にふるまう父親の態度を模倣し、権威に対する憧れを強めていった。人前で見栄や虚勢を張りやすく、自己顕示性と自己中心性の強い性格。些細なことが刺激となって激しい言動を示すことが多く、自制しようとする構えが弱く、そのときの気分や感情で動いてしまいやすい」……。

こうした少年たちのプロフィールを「精神病質」のひと言で要約するのはすこぶる簡単だ。しかし、一読して既成世代の視野にすぐ浮かぶのは、凶悪無残な殺人事件の犯人像よりもむしろ、あまりにも見馴れた若い世代の姿である。

社会福祉法人「いのちの電話」理事で、筑波大学社会医学系の稲村博助教授（当時）（精神医学、精神衛生学）がその著書『精神科医の見た日本の未来』のなかで、最近の子どもたちをこんなふうに描いている。

どんな時代でも、若者は未熟だと言われてきた。しかし、三十年くらい前と現在を比べると、未熟の内容が著しく変わってきている。かつて、未熟と言えば「礼儀作法をわきまえていない」とか「言葉使いもろくにできない」「足もとのことができもしないのに天下国家を論じてデモばかりやっている」といったことだった。

今はちがう。こういう点に関して言えば、今の子はまったく未熟ではない。たとえば、足もとのこともできないのに天下国家を論じる、などということはまったくない。車やファッション、グルメなどなど、もっぱら足もとのことばかりやっている。大人以上に大人的で、損なことなど絶対にしない。

それでは、現在の未熟とはいったい何なのか。

第一に、非常に敏感で傷つきやすい。第二に、欲求不満耐性の欠如。物事が思いどおりいかない、何か困難に直面する、そういったときに持ちこたえる力、乗り越えて行く力が弱い。人間関係、環境の変化、学校生活などにおいて、些細なことでつまずいてしまう。第三に、真の生きる意味、目標を年齢相応につかんでいない。アイデンティティを確立していない。目標をつかんでおり、アイデンティティを確立していれば、乗り越えられるはずの挫折を克服できない。もろくも傷つき、つぶれてしまう――。

最終弁論で弁護人が描いて見せた六人の肖像を、この「未熟」でくくれば、そこから浮かびあがってくるのは例外的な凶悪犯の姿ではなくて、ごくありきたりの「近ごろの若い者」の風景である。

そういう少年たちが内蔵している憤怒のスイッチがひとたび「ＯＮ」に入ったとたん、当人さえ予測できなかったほどのことをやり始めてしまったのだった。

昭和六十三年十月初め、三雄の兄のバイクが盗まれた。前後の状況から考えて、誰がやったかは見当がついている。三雄は次郎に相談した。

「オレ、あたまにきちゃった。なんとかならないですかね」

「たぶん、あいつらだろうな」

「取り返す方法、ないですか」

「あの人に頼んだらなんとかなるかもしれない」

「誰ですか」

「一夫先輩さ」

「ああ、あのちょっとおっかない感じの人？」

「（暴走）族にいたこともあるし、いろいろ顔が利くから、オレが頼んでみるよ」

この事件の起こる前、次郎は久しぶりに一夫に会い、麻雀をやって借りを作った。以来、一夫がひんぱんに次郎の家に電話をかけてきて、遊びに誘っていた。

次郎がバイクの一件を相談すると、一夫は簡単に請け合った。

「わかった。オレはあっちこっちのヤクザを知っている。まかせとけ。バイクを取り戻してやる。ついでにカネも取ってやろう」

次郎も三雄も、これがカネになるとは気がついていなかった。

バイクは結局、戻ってこなかった。代わりに、次郎に代わって一夫がグループのリーダーシップをとるようになった。一夫の頭の回転は早い。

「今日どうする？」「そうだなあ、なんかおもしれえことはねえかなあ」などという無駄なことはしない。遊びや悪事のプログラムを次々に組んで、すぐ実行に移す。下にいる者は何も考える必要がない。言われるままに動いていれば、とにかく退屈しないですんだ。

三雄が語る。

——バイクのことがきっかけで一夫君と知り合ってから、よく会うようになったんだね。

「先輩からぼくの家に電話がかかってきて、たいてい次郎先輩もいっしょにいたんで、それで麻雀屋に呼び出されました。先輩とその友だちが麻雀やっている間、漫画を読んだりして終わるのを待っている」

——それからどうなった?

「ドライブしようとか。それから『強姦に行くぞ。やりたいか』と言われて『はい』と答えました。知り合って一週間くらいたったころです」

——最初のとき、きみは何をやったのかな。

「女の人をむりやり車のなかに連れ込もうとして抱きつくというか……」

——どんな気持がした?

「ドキドキしました」

——それで？

「叫ばれて、手を離してしまいました」

——逃げられた？

「はい」

——その次は？

「一夫先輩と次郎先輩と、ぼくと、それからもう一人いて、女の人に『道を教えてくれ』とか言って車に連れ込んで、それで一夫先輩が強姦したのを見ました。でも、そのあとで次郎先輩が『勘弁してくれ』と言ったので、一夫先輩以外はやりませんでした」

——なぜかな。

「それは、その女の人を次郎先輩が好きになって、それで……」

——きみが強姦に始めて加わったのは？

「十月の下旬くらいだったと思います」

——きみにとっては、それが初めての性体験だったね。

「そうです」

——どう思った？

「あんまり気持いいとか、そういうことは感じなかったんですが、その後に、なんか面白かったな、というふうに思いました」

――それから、一夫先輩のあとについて、強姦を何回か重ねたわけだな。

「そうです」

――同じころ、ひったくりも始めたな。

「一夫先輩に車で連れて行かれて、初めは『強姦しに行く』と言ってたんですが、向こうからくる女の人のバッグを取れと言われました」

――言われたとおり、すぐできたの？

「はい」

――警察につかまるという心配はしなかったのか。

「考えてなかったような気が……」

――ひったくるのはいつもきみがやったのか。

「一夫先輩は後ろで見ているというか。それから被害者のことを邪魔する」

――話しかけたりして、きみがつかまらないようにする、という意味か。

「そうです」

そのころ、一夫はにっちもさっちもいかないところに追い込まれていた。一夫が語る。

——生花店の経営者に、テキ屋の仕事に引きずり込まれたわけだけど、最初にやったのは？

「新宿で、ニセ・ブランドのシャツを売る仕事でした」

——きみは、タイルの仕事で行った先で、組関係の人に「こんなところに入ってはいけない」と言われているね。テキ屋とヤクザはちがうと思ったのか。

「やっぱり暴力団と関係あると思います」

——いろいろ口実を使って仕事を休んでいるね。抜けたくて抜けたくてしようがなかったんだ。

「約束が全然ちがうし、組の事務所当番はやらされるし……」

——最初に事務所当番をやらされたときはどう思った？

「あ、やだな、と思いました。はまっちゃったな、と」

——抜けられないのか。

「自分の友だちで、暴走族からヤクザの世界に入って、家ごと引っ越したのがいましたから。アパート住まいだったから簡単に引っ越せたけど、自分のところは家を持っているし、お父さんの会社でも調べれば簡単にわかってしまうし、とうてい逃げられないと思い、それでシンナーに手を出しました」

――シンナーを吸うとどうなる？

「恥ずかしいんですが、みんなとサウナに行ってカネを払うとき、ボーッとしてしまってそのカネが数えられない……」

――司郎君のお姉さんが「そういう仕事はやめろ」と言ったね。

「はい。『そんなにおカネが欲しいんなら、私がソープランドに行って働くから、抜けな』と。半殺しの目にあっても、指一本もっていかれてもいいから縁を切ろうと思いましたが、そのたびに酒を飲まされて……」

シンナーにやられていないときの一夫は、弁が立つし、話も面白い。頭の切れ味はリーダーにふさわしく鋭い。何よりも行動力があって頼もしかった。しかし、当の本人は、絶望的な状態に陥っていた。


そして、昭和六十三年十一月二十五日の夜となる。両親が働きに行っていて、夜の帰宅も遅れがちな三雄の家は、警察ふうに言えば「不良交友」のたまり場になっていたが、その日だけは珍しく誰もきていなかった。午後六時、一夫がやってきて「ひったくりに行くぞ。バイクが一台しかないから、まずもう一台借りに行こう」と言う。

知り合いの家でバイクを借り「オレについてこい」と言われるまま、三雄はバイクを走らせた。走りながら、一夫が自転車で帰宅途中の女子高校生を次々にからかう。三雄の記憶では合計四人。いずれも声をかけただけで終わった。

やがてひったくりを始める。三雄が弁護人の質問に答える。

——ひったくりは何人かの人からやったのか。

「はい。おカネはたしか取れなかったと思うんですが、バッグは取れました」

——うまくいけば、強姦しようという気もあった？

「それは一夫先輩の気持で、それはぼくにはわからなかった」

——そういうことをしながら、あれは七時半くらいかな。被害者の女子高校生を見たのは。

「八時過ぎだったと思います」

——見たとき、一夫君はなんと言いましたか。

「『あの女、蹴れ』と」

——どう思った？

「その前にも、自分はふざけて（自転車に乗った女性を）蹴ったりしていたから、今度もふざけてというか、そういう感じで……」

――で、実際にどうしたの？

「先輩が『オレがうまくやってやるから』と言うんで、蹴飛ばしました」

三雄に自転車を蹴られた被害者は、道路の側溝に自転車もろとも倒れる。三雄が逃げ去ったあと、一夫が現場に現れて「どうしました？　この辺は危ないからぼくが送って行きましょう」と言葉をかけ、近くの倉庫内に連れ込むと態度を一変させる。

「さっきの奴とオレは、実は仲間だったのさ。お前のことを狙っているヤクザだ。オレは幹部だから、オレの言うことをきけば、上のほうになんとかとりなしてお前の命だけは助けてやる」と脅しあげる。意味はよくわからないが、ケンカや恐喝の場数を踏んだ一夫の口調には、うむを言わさず相手を屈伏させるだけの迫力がある。女子高校生は完全に相手の支配下に入り、タクシーでホテルに連れ込まれ、言われるままとなった。きっかけを作った三雄はそのまま、現場で待ちぼうけの恰好となる。

三雄が語った。

――蹴ったあと、具体的にどうするかはきまっていなかった？

「はい」

――それからどうした？

「左の角を曲がりました。そこで待っていたら、先輩が女子高校生の人といっしょに歩いてきて、自分のほうを見て『変態！』とか言いました」

——それから？

「場所をちょっと変わってから、先輩が一人できて『五分くらいしたらふたつ目の角を曲がって、待て。そこへ女を連れて行くから脅せ』と。『どうやって脅せばいいいんですか』と聞いたら『二、三発殴っても言いから脅せ』といいました」

——で、どうした？

「五分たってそこまで行ったんですが、誰もいなくて。それから一時間くらい、あたりをうろうろしながら先輩を待っていました。そのまま帰っちゃおうかな、と思ったんですが、あとで先輩にまた何か言われるんじゃないか、と思って。それから時計を持っていなかったんで、一一七番に電話をかけて時間を聞いたら、九時半でした。また三十分くらいその辺をぐるぐる回って、それで家に電話したら、お兄さんが出て、先輩から電話があったから一応帰ってろ、と言われ、家に帰りました」

のち検察側が論告のなかで「わが国犯罪史上においてもまれに見る重大かつ凶悪な」と形容した犯罪は、こうして、雑としか言いようのない発端で始まった。

午後十時ごろ、次郎が三雄の家に行く。三雄はまだ帰っておらず、司郎だけがきていた。間もなく、三雄が帰宅する。その間、一夫から数回にわたって電話がかかってきて「女といっしょにいる。お前ら、やりたいか」などと言ってきた。一夫の指示は何度か変わった末「十一時に、さっきバイクを借りた家の前にこい」ときまる。次郎、三雄、司郎の三人は指示に従った。

一夫が、被害者を連れてやってくる。合計五人になった一行は、夜の町をブラブラと歩いた。一夫はときおり「あ、ヤクザの車がきた。隠れろ」と言い、被害者をあらためて制圧する。三雄や司郎は、一夫の意図している演出については確かに知らないまま「この女とやれるのかな」と期待してあとからついて行き、途中で「きみ、いくつ?」とたずねてみたりした。

一夫は知人に借りたバイク用ヘルメットを返さねばならないことを思い出し、三雄と司郎に知人宅に返しに行かせる。五人は再び合流、三雄の自宅近くの公園に行く。一夫は三雄を連れてバイクを返しに行き、その家で生花店経営者に会い、次郎、司郎、被害者の三人を公園に待たせたまま、酒を飲み始める。十一月末の深夜は、しんしんと寒い。寒さのなかで、ひどく間の抜けた時間が過ぎて行く。すでに日づけは十一月二十六日。なおかつ、被害者の精神は制圧されたままであり、少年たちの期待感は持続している。一時間、二時間と経過し、寒さに耐えきれなくなった次郎、司郎は被害者を連れて三雄の部屋に入った。

「監禁」は、こうして始まった。グループの一人の自宅に少女を連れて行ったら、彼女に「被害意識」があるかぎり、必ず加害者グループの身元が割れる。強姦の被害者のすべてが、世間体を考えて泣き寝入りをするとはかぎらない。まして、獣のように自分を襲った犯人どもの住所、名前がわかっていれば、恨みを晴らそうとするのは当たり前だ。簡単しごくなことなのに、ほとんどその場の成り行きで「監禁場所」ができまった。

考えていたのは「女とやりたい」だけである。やれば、それでその夜の気はすむ。公園から三雄の部屋への一歩が、その後の四十日間につながるなどとは、まったく考えが及ばなかった。三雄の家に上がり込まず、ホテルで思いをとげていたら、これは強姦事件だけで終わっていたはずだった。幼稚にして無計画、杜撰、絶望的な思考中断。

一夫と三雄はしたたかに酒を飲んで帰ってくる。一夫の記憶はさだかではない。一夫はいったん三雄の部屋に上がったあと、また出て行った。

次郎が法廷で語る。

――そのあと、被害者をどうしようと思ったのか。

「一夫先輩が（去るときに）『お前ら、手を出したら承知しないぞ』と言ったから、じゃ、きょうは三雄の家に泊まって、明日、ホテルに行くんだな、と思いました」

——十一月二十八日、みんなで被害者を輪姦したね。その前に、君は被害者とセックスをしているか。

「はい」

——被害者はいやがらなかったのか。

「初めはいやだと言いましたが、冗談を言ったり、話をしたりしているうちに『いいよ』と言われてやりました。ヤクザを怖がっていたし『いいよ』と言ったのも、仕方なしに言うしかなかったんだろうな、と今は思っています」

——二十八日に、みんなに乱暴されたとき、被害者に対する気持に変化が起こりましたね。

「好きになったというか、自分の理想にあった人だと……」

——どうして？

「性根がすわっているというか」

——それが終わったあとで、何か言われた？

「『どうして助けてくれなかったの』と言われました」

――それを聞いて、どう思った？

「頼られたりとか、好意を寄せていると思っていたと思います」

――そのあと、何日かして被害者は一一〇番通報しますね。そのときは？

「裏切ったと思いました」

――それで嫌いになったのか。

「嫉妬という気持も持っていました」

――それは、他の少年との関係かな。

「はい」

被害者がまさに被害者になるのは、この十一月二十八日以降である。加わったのは、四人のほか、別の少年二人。一夫の発案で、カゼ薬を覚醒剤だということにしてみんなで飲み、ラリったふりをよそおって襲いかかる。声がもれないようにふとんをかぶせ、次々に犯した。

以後、わずかの間だが、被害者は脱出をはかる。十二月初め、隙をうかがって家の外に出ようとして発見され、連れ戻された。一一〇番に電話したが、これもすぐ発見され、電話を切られた。警察が「何かあったのですか」とかけ返してきた電話には一夫が出て、とっさの機転でごまかした。そのあとで、凄まじいリンチ。

被害者の家族からは、捜索願が警察に出されていた。一夫の発案で、少女は家に「もうすぐ帰る」と電話をかけさせられる。家族は、娘がこんな目にあっているとは思ってもみなかった。

輪姦、暴行の行なわれている間、この家の両親は何をしていたのか。二十五日から二十七日まで、父親は社員旅行で不在。母親が証言する。

――事件のことを話してください。

「十一月の二十五日か二十八日か、はっきりしませんが、夜中に三雄の部屋がうるさくて目を覚まし、二階に上がって行ってドアを叩きました。ドアが開くと、なかに五、六人が車座になって話していました」

――そのなかに女の子はいましたか。

「わかりませんでした」

部屋の天井の蛍光灯は、かなり前から故障していて、室内の照明はスタンドだけ。事件後、現場検証で部屋に入った人によると、室内は薄暗く、スタンドの明かりが異様な陰影を作り出していたという。母親はドアの外からひと言ふた言注意して、そのまま階下に下りる。被害者救出の最初の機会は、あっけなく失われた。

――そして、十一月の末ごろ。

「台所にいたとき、玄関から『今晩は』と言って女の子が入ってきて、そのあとから男の子がゾロゾロとついてきました。『もう遅いから帰りなさい』と何度も言ったのですが、返事をせず、二階に上がって行きました。主人もいましたので、三雄が下りてきたときにも『早く帰せ』と言いました」

――で、翌日？

「三雄か兄のどちらかに『あの子は帰った』と言われ、深く考えもせずに帰ったのだと思いました」

実は、このときこそ、被害者がおのれの意志で脱出をはかって連れ戻されたギリギリの場面だったのだが、第二の機会もこれで消えた。

――それから一週間くらいして？

「トイレの汚物入れを掃除していたら、生理用品が出てきたので『いやだ、まだいるんだわ』と思いました」

――それまでは、いるとは思っていなかった？

「疑いは持っていました。一度、夜、女性の声を聞いています。そのときは子どもが下りてきて、否定的なことを言ったと思います。それから、私が家に帰ってきたとき、笑ったり話したりする声が聞こえていて、私が中に入ったとたんにやんだ、ということもありました」

――生理用品を発見したあとは？

「二階に上がって行くと、部屋に司郎君と女の子がいました。『どうしてここにいるの』と聞いたが答えない。『家出するからには、相当な理由があるんでしょうから、どうしても言いたくなかったらいい。でも、お名前は？』と聞きました。それにも答えない。『住所は埼玉県のほう、高校三年生。もう就職はきまっている』と言いました。

『お母さんが心配してるでしょうから、早く家に帰りなさい』と言っても返事をしない。『帰る』と言わない。司郎君が『帰ったほうがいいよ』と言い、とにかくご飯を食べてから帰すことになり、下に下りました。食事を始める前に三雄が帰ってきて、食事中に主人も帰ってきました。

食べ終わって、テレビを見たり、ファミコンをやっていたようです。みんないっしょの友だちという感じで、そのうちに、女の子が『てめえ』と言っているのを聞いたり、タバコを吸っているのを見ました。いよいよ帰ることになったら、三雄が『さみしくなっちゃうな。電話番号教えてよ』と言っていました。それからまた二階に上がって行ったので、食事も終わったのになんで帰らないんだろう、早く帰ってほしいと思い、イライラしていました」

そのとき、被害者はこんな状態に追い込まれていた。一夫がのべる。

「家に帰って（警察に）訴えたら、オレたちは捕まってもオレたちの（ヤクザの）仲間が何十人もいる。そいつらがお前の家に火をつけて、家族をみな殺しにする。お前たちを必ず殺しに行くぞ、とおどかしていました。（被害者は）それを信じていたわけです。オレたちは、お前を狙っているヤクザから、お前を守ってやっているんだ、とも言いました」

母親にしてみれば、娘は家出してきたものだとばかり思っている。いつまでも居座られたら迷惑だ、なんとしても帰さねば、と考えていた。

父親のほうは、母親ほど危機感を持っていない。少女の姿を見て、

「ガールフレンドか。オレにも紹介しろよ」

と声をかけている。息子に向かっての、精一杯のコミュニケーション活動のつもりだったが、これはかんたんに無視された。食事が終わったあと、少女が茶碗や皿をかたづけているのを見て、男の子二人の父親は「やっぱり女の子はいいな」などとも言った。かくて、第三のチャンスも去る。

――翌日、あなたは彼女が帰ったと思っていた？

「はい。でも、念のため三雄の部屋に行ってみたら（被害者と次郎、司郎が）いたんです。あんなに念を押して『必ず帰るのよ』と約束したのに、なぜ帰らないんだろう、と。『この家には、男の子が二人いるのよ。どういうことになるか、わかるでしょう』と言ったら、次郎君は『オレは（セックスを）やってないよ』と言っていました。『でも、ここは薄暗いし、ヤクザみたいなの（一夫を指す）が出入りしているから、すぐ帰りなさい』と言っても動く気配がない。私一人の説得じゃ駄目だと思い、主人（の勤務先）に電話しましたが、主人はいませんでした」

母親は、いったん部屋を出て、近くに住む次郎の祖母の家に行く。次郎の自宅の電話番号を聞くためだ。帰ると、父親も勤務先から戻っていた。二人で二階に上がり、説得を続ける。母親は娘の手を引っ張って立たせようとしたが、立ち上がらない。さらに後ろに回り、両手を差し入れて持ち上げようと試みたが、これも駄目。

必死の実力行使に失敗した母親は「とにかく帰りましょう」と、娘のハンドバッグと靴を持って階下に下り、娘の身元の手がかりを求めてハンドバッグのなかを探す。自宅の電話番号らしいものを発見し、もう一度、次郎の祖母宅へ。自分の家から電話するのをはばかって、わざわざそうした。

電話を借りてダイヤルを回す。母親らしい女性の声が出た。

「お宅に、こういうお嬢さんがいらっしゃいますか」

「おりますが、今はいません」

「失礼ですが、そのお嬢さん、タバコを吸いますか」

「ええ、吸いますけど」

それだけ聞くと、母親は自分の名前も名乗らず、電話を切った。娘が行方不明になっている家にしてみれば、これは怪電話である。母親は、自分が怪しいことをした、とまでは気が回らなかった。家出少女に居つかれて困っている、という被害者意識のためだ。

そしてもうひとつ。重大な圧力。母親はこうなる前、息子の凄まじい暴力に泣き続けていた。このうえさらに干渉行動を知られたら、あの暴力がどこまで行きつくかわからない。伏線は残酷に張られていたのである。

——なぜ名前も名乗らず電話を切ったのですか。

「他人のハンドバッグから（電話番号を）黙って取った、という後ろめたさがあったものですから……」

——三雄君の暴力のことも頭にありましたか。話をしたら、乱暴されるのではないか、と。

「というより（私が）電話で（三雄の）友だちと話すのをすごくいやがる子なんです。で、わからないようにと……」

――家出してきている本人の意志も無視するわけにはいかないと考えて？

「そうです」

電話を終え、家に帰ると、階下の居間で父親と何ごとか少女が話をしている。それを見て、母親はようやくその気になってくれたのだと思い、言った。

「じゃ、帰ることにしたのね。お母さんが心配してるでしょうから、すぐ家に『これから帰る』と電話しなさい」

「いいんです。前にも電話してますから」

「それじゃ、そこまで送って行くわ」

「一人で帰れますから……」

「タクシー代もってる？　あげましょうか」

「あります。大丈夫です」

「そう、まっすぐ帰りなさいね」

「わかりました」

少女はそういって玄関を出て行った。外には、少年らがすでに待機している。絶対に帰すわけにはいかない。いったん外に出て少女を確保し、その辺で時間をつぶし、両親が寝静まるのを待って再び部屋に連れ戻すつもりだ。少女は、待っていた男たちの顔を見て、脱出の企図を捨てる。ここで逃げたら、怖いヤクザの仕返しが家族に及ぶ、と恐怖して動くに動けなかった。

帰宅した三雄は、仲間からその夜の出来事を聞いて母親を殴った。理由はほんのこじつけでしかなかったが、母親には恐怖が身にしみた。

母親の記憶では、これは三雄の兄の期末試験の始まる前、つまり、十二月十日以前のこと。機会はかくて決定的に去る。伏線は事件の起こる前から周到に張られていて、もはや偶然の力では破ることができなくなっていたのだった。

このとき、被害者は脅迫にあって金縛りの状態だったが、まだ人格は保っていた。やがて、凄惨なリンチ、暴行が始まり、肉体の損傷とともに十七歳の人格が崩壊する。

以後、両親は娘が帰ってくれたものと思い込んでいる。三雄の部屋のドア・ノブは壊れていて、外からは開けられない。留守中に部屋に入ったことが何かの痕跡で次男に知られたら、また爆発的な怒りに火をつけることになる。洗濯物をベランダに干しに行かねばならないが、それは兄の部屋からでも十分間に合う。だから、母親は三雄の部屋に入る気を起こさなかった。

三雄の弁護人は、最終弁論のなかで両親の責任を追及してこうのべている。

「第一に、被告人の動向に両親、とりわけ父親が関心を持っていれば、二階に注意しに行ったとき、少年が『関係ない』とどなったとき（そのままドアの外から引き返さず）、非行の芽は小さいうちに断固としてつみとるとの決意のもとに、ドアを蹴破るなどの具体的処置がとれたこと。第二に、両親は被害者を『自分の意志で二階にきている少年の仲間』だと思っていたのだが、家にきている子どもたち一人一人について家族環境などをきちんと把握し、それぞれの子どもの親たちとの連帯責任で立ち直らせるとの確固たる決意を持っていれば、被害者を直接被害者の両親に手渡すなどの処置がなしえたはずであること。第三に、十二月の暮れ、心配した母親に『二階に誰もいないようだから、盗品などがないかようすを見てきてほしい』と言われた父親が、酒を飲んでおらずに判断能力をきちんと有していれば、面倒がらずに部屋のなかに入っていたはずであり、結果として被害者を発見して、少なくとも最悪の事態は防ぎえたことである」

父親は、このときたまたまそういう状態になっていたわけではない。これもまた、彼自身の四十余年にわたる人生のなかで、日一日と知らぬ間に張られていた伏線だった。

　次郎が語る。

――きみが被害者を初めて殴ったのは、一一〇番に電話したあとだね。なぜ殴ったのか。

「それまで、仲がいいように見せていたのが全部だまされたと思って、腹がたちました」

――十二月二十日くらいに、四人のほかにAという子が部屋にきたね。そのとき、被害者にまず何をやったか。

「化粧してやる、といってマジックペンで頬にヒゲをかきました」

――それを見て、どう思った？

「面白いと思いました」

――それが夜で、朝になってやったことは？

「（家に帰っても警察には言わないということについて）『信じてもらえるまでなんでもやります』と言ったので、一夫先輩が『じゃあ、お前、裸になって踊れよ。お前、ディスコ好きなんだろう』と言って踊らせました。そのあとまた『信じてもらえるまでなんでもやります』と言わせ、一夫先輩がほかのこともさせました。それから『誰が好きか言え』と言わせ、ぼくの名前を言ったので『次郎君、きてえ、と言え』と言い、そう言ったら『もっと色っぽく言え』と言いました」

——そんなひどいことをされているのを見て、きみはどう思ったか。

「（被害者が）自殺してしまうんじゃないか、と思いました」

——十二月二十八日にも、暴行しているね。どんなことをした？

「裸にしてたとき、三雄君のお母さんが上がってきたので、隠すため、ベランダに出しました」

——そのあとは？

「先輩が『栄養つけよう』『生傷にいい』と言って、牛乳を飲ませました。水も飲ませました。初めは飲んでいたんですが、量が多くなるにつれて吐いてしまいました。吐いたあと、みんなで殴りました」

一夫が語る。

「夜中だったと思います。部屋に入ったら、被害者が倒れておなかを押さえていて『お水、お水をください』とすがるように頼んできました。水をあげたら『ありがとうございます。ありがとうございます』と言いました。十二月の初めだったと思うんですが、東中野駅で電車の追突事故があって『お前の父親があの電車に乗っていて死んだぞ』と言いました。『どんな気分だ？』と言うと『悲しいです』と言う。『嘘だよ。どんな気分だ？』『うれしいです。生きていてよかった。ほっとしました』そのあとでまた『いや、ほんとうは死んだんだ』と言う。そんなことを何度も繰り返して、あの人はどうしようもなくなりました。

あと、武田鉄矢の『声援』という歌に『がんばれ、がんばれ』という歌詞があって、いじめているときにそれを歌いながら『お前も歌え』と歌わせた。自分たちが何も言っていないときにも、小さな声で『がんばれ、がんばれ』と自分に言い聞かせるように言っているときが、何回かありました」

暴力と凌辱は徹底的だった。初めは「警察にチンコロ（通報）されたらヤバイ」と圧力をかけていたつもりだったのが、次第に暴力そのものを楽しむようになる。殴った顔が無残にはれ上がると「このまま家に帰すとバレてしまう」と恐れ、やがてにっちもさっちも行かなくなる。ライター用オイルで焼いた傷痕が化膿してひどく匂うようになり、性的な興味を失う。「こいつ、なんとかならないのか」と身勝手な被害者意識が生まれてきて、それがまた暴力を呼んだ。

十二月の下旬ごろ、次郎、三雄、司郎の三人でこんな会話を交わした、と次郎が語る。

次郎「一夫先輩、あいつ（被害者）をどうする気なんだよ」
三雄「どうするんですかね」
次郎「山のなかに埋めますか」
三雄「埋めるんですか」
次郎「司郎君、どうですかね」
司郎「ミンチがいいですよ。バラバラにして捨てればわかりません」
次郎「誰がどこでやりますか」
司郎「ここの（三雄の家の）風呂場でやります」
次郎「司郎君はこう言ってますが、三雄君、どうします」
三雄「ウチの風呂場はかんべんしてください。それより自殺に見せかけて、青木ヶ原に投げ込みますか」

真剣な相談ではない。もともと、彼らにはそのたぐいの会話を交わす習慣がない。面白いことを言い合ってたがいにウケを狙う。それだけだ。次郎は「評論家の先生にインタビューして意見を聞くようにして聞いた。しかし、つまらなくなったのでやめ、あとはファミコン・ゲームを続けた」と語る。

現実には困り果てている。その感情を言葉にすると、ふざけた調子の作りごとになってしまう。実と虚の境界線をフラフラと行き来するだけ。

三雄は言った。

――どうしてそんなひどいことをしてしまったのか。

「殴ったりするのが、なんか、面白いというか……」

――(被害者が)人間だという感じがあまりしなかったのか。

「今思えば、人間だとは思っていませんでした。そのころは、人間とか、そういうのも考えていなかった」

――イライラしたり、ムシャクシャしたりする気持をぶつけた、ということなのか。

「いろいろ原因というか……そういうことだと思います。当時は、なぜかというより、メチャクチャというか、わけのわからないうちにそういうことをやりました」

薄暗い部屋のなかは荒廃の極に達していた。それを眺めている者の胸中も索漠としている。しかし、本人はそれに気づいていない。むしろ、気づかないようにしていた。

弁護人は最終弁論で「心理鑑定」の一節を次のように引用した。

「彼らは『面白いこと』に価値をおき『冗談』とか『すごいこと』(異常なこと)に関心を持ち『冗談』と『まじ』(現実)との区別が容易に乗り越えられることを指摘せ

ねばならない」

絵空事と現実の区別がつかなくなっている、ということだ。引用は続ける。

「刹那的な面白さの追求は、自己の内的な興味・快感のみを追求していて、対象・他者の苦痛・状態に対する想像力を欠いている点で『自己中心的』と言える。それはまた別の点から見れば、他者の心情を思いやる気持の〈隔離〉であり、自己にかかわる『未来』の意識の〈隔離〉でもある。将来自分がどうなるかという点は、ほとんど意識することなく、現在のやり方をゆきづまるまで続けることにもつながる。少年たちには、現在の気分や感覚があるだけで、将来を考えていない」

さらに、鑑定人は法廷で弁護人の質問に答えて次のように説明している。

「隔離、否認というようなものは意識のなかにある。だけど、意識の周辺に押しやられている。ですから、いつもそれを認識しているわけではないし、自覚しているわけでもない。その周辺に押しやるというのは気にしない。見て見ないふりをするという、意志によって行なうわけですが、しかしそのようにしてしまうと、ほんとうに見えなくなってしまうわけですね。あたかもそういうものがないかのように振る舞っていると、ここで言うと、死ぬ危険とかいうものがないかのように振る舞ってしまうということです」

彼らは、都合の悪いものをいっさい見ようとはしなかった。被害者は完全に厄介者になっている。いなくなってくれれば一番ありがたいのだが、家に帰せば自分たちの悪事が露顕する。帰さなければ憂鬱が増す。八方ふさがりで身動きもできない。そういう窮状には目を向けず、無意識のうちにこみあげるいらだちを、はてしない暴行で解放した。のたうち回る被害者を見ても、視野に入るのは、人の苦痛・悲嘆・恨みではなくて「面白い」ということだけだった。

生花店の経営者に命じられて、一夫は十二月十一日、組関係の忘年会を設営する。そこで、一夫をリーダーとし、次郎以下をメンバーとして「極青会」を作る話がきまり、三次会の席で既存の組の銀バッジを渡された。一夫はそのバッジを司郎の姉に見せに行く。気丈な娘はひと目見るなり言った。

「そんなものもらって、あんたバカじゃないの」

一夫は混乱し、シンナーの乱用もあって判断力を失う。不愉快なものが存在している三雄の家には、寄りつこうとしなくなった。場あたりの強姦劇から始まった悪事が、どんづまりの破局を迎えようとしているのに、事態収拾の能力も意欲も欠いていた。他の三人も、生花店での早朝、深夜の仕事、自分自身の破滅的な生活によって睡眠不足に陥り、終日いらいらしたままで過ごしている。

事件が明るみに出たあとで、司郎の姉が言った。

「私があんなことを知っていたら、体を張ってでも（被害者を）帰らせていたよ。だって、私、一夫なんか怖いとは思っていなかったもん」

不幸なことに、一夫はバッジは見せたが、狭い部屋に虫のように閉じ込めていた娘のことは話さなかった。

三雄の部屋のことは「オレの家に、面白いのがいるんだよ」と三雄が話したのを聞いたりして、多くの少年が知っていた。実際に、凌辱や暴行に加わった者もいる。

三雄の弁護人は、最終弁論のなかでこうのべた。

「合計すれば十三人くらいの少年が、監禁されていた被害者に接触している。さらに、被害者が監禁されている事実は、少なく見積もっても数十人が知っており、推定では百人以上の少年が知っていたと思われる。それにもかかわらず、少年たちは、被害者が監禁されているという事態を重大な問題とは捉えておらず、警察への通報はもちろん、大人社会への伝達を行なっていない。ここにしめされた現象は、少年らのなかに『他者の痛み』に対する共感や『弱者への思いやり』といった情操の欠如が蔓延し『他人事』への徹底的な無関心、自己中心の世界観が支配的であることを端的に表わしている。被告人の有している弱点は、一人被告人のものではなく、世代を共通する少年たちに普遍的に見られるものなのである」

少年たちのなかに、司郎の姉のような考え方をする者は、ただの一人もいなかった。そもそも、被害者を三雄の家に連れ込んできたそのときに、彼らは出口のないところに足を踏み入れていたのである。以後、三雄の母親の介入など、脱出口はその都度現れたのだが、ドアはすべて、ほとんど自動的に閉じていった。少年グループの荒廃に加速度がつく。被害者を監禁している間も、強姦などの悪事を重ねる。

判決文のなかの一節。

「事件は、当初からこれほどまでの監禁を意図していたものではなく、計画性のない場あたり的な犯行が発端となっており、その後、暴行を加え続けることにより、深刻・異常な事態への心理的抵抗感がゆるんで暴行が増長され、結果的に、同女を帰す方法に窮し、ずるずると監禁が長期におよぶにしたがって、抜け道のない状態に陥ると同時に、被害者の処置に困惑し、次第に心理的閉塞感が高じ、最終段階では、いじめを主眼とする暴行の過程において未必的な殺意が生じ、一挙に過激な攻撃行動として発散したものである。

その意味では、精神的に未熟な少年らが、事態を打開できないまま、不幸な結末にいたった側面もあり、その犯行の残虐性は、逸脱集団における虚勢の張り合い、攻撃性の競い合いなどにあわせ、各少年がそれぞれの年齢相応の人間的成長をとげないまま、未熟な人格像を形成していたことに由来していたと言える。

また、被害者を監禁する前後から、四人において非行性と社会からの逸脱度が急激に進化し、犯行態様が大人顔負けの残虐性を有するにいたった背景には、暴力団関係者から一夫を介しての少年らへの働きかけに起因する生活環境の悪化と、少年らのやくざ集団への傾斜・取り入れの作用も間接的に関わっていたことがうかがえる。

鑑定によれば、四人のなかには性的倒錯者はおらず、きわめて異常な性的凌辱行為も、本質的には『いじめ』の一形態で、アダルトビデオや週刊誌などに登場するパターンの模倣であること、死体の処理方法も、コミックの手法を完全に取り入れたものであること、および、逸脱集団における価値基準としてのやくざ気質と面白志向が、常識的な判断や抑制の態度を麻痺させる要因であり、その結果、被害者の痛みを実感できなかったこと、が指摘されている」

被害者の食事について、次郎は検察官の質問に対しこう答えた。

——食事のことはどういうふうに考えていたか。

「(十二月の)中旬くらいまでは、ぼくたち、見てあげていたと思っていたんですけど。ぼくらの前で食べていたり。中旬以降は三雄君のお兄さんがあげていると……」

――きみらは、お兄さんに食事代かなにかあげていたのか。

「いいえ」

――毎日毎日食べさせるには、おカネがかかるだろう？

「カップラーメンとか、三雄君の家にあったから……」

三雄に対しては、弁護人の質問。

――被害者を連れてきたころ、食事はどうしていましたか。

「出前を頼んでいました。あと、何か食べたいかと聞いて、食べたいというときは買ってきました」

――途中からは？

「一夫先輩が何か買ってこいと言ったり……」

――被害者が食事をしているかどうかについて、きみは気にしていましたか？

「あんまり気になりませんでした」

――食事をとっていないということも考えていなかった？

「食べていないというのは一応知っていましたけど、そんなに考えてませんでした。なんとなく、お兄さんが食べさせているんじゃないか、と思ったり……」

――被害者の体が弱っているとは思わなかった？

「あ、思っていませんでした」

――立って歩けないときもあったんでしょう？

「それは、弱っているというんじゃなくて、足をジッポオイルで（焼かれて）火傷をしてたんで、それで足が痛いから立てないんだと思って……」

もう一度、次郎。これは弁護人の質問に対する答。

――被害者は最初、おカネをどのくらい持っていたのか。

「三千円くらい持っていました」

――それは最後まで使わなかったのか。

「全部使いました。頼まれて、そのカネでぼくや三雄君が飲み物などを買いに行きました」

――それ以外にも、何か買ったものはあるか。

「ぼくのおカネで歯磨きなどを買いました」

――なぜそれを買う気になったのか。

「歯を磨かなければ気持が悪いだろうと思って買ってきました」

最初は、両親の留守中、三雄の家の風呂にも入っていた。次郎の話にもあったように、風呂や歯磨き、食事に関するなにがしかの気配りは、十二月中旬以降、性的な関心とともに四人の念頭から消える。被害者の状態がひどくなって、もはや歯磨きどころではなくなっていた。

一夫が法廷でのべた。

――次郎君や三雄君が乱暴して、被害者の顔がはれたのはいつごろか。

「十二月十二日から十八日の間です」

――その記憶は何か根拠があるのか。

「十二月十一日は、自分が極東の銀バッジをもらった日で、十二月十九日は毎週月曜日が自分の組の事務所当番日で、その日に事務所から三雄君に電話しました。そうしたら、昨日かおととい（被害者を一階の）トイレに連れて行ったら被害者が臭いという話になって……。自分たちがオイルをかけて火傷させたんです。ウミが出ていて、その匂いが染み込んでしまうと、三雄君のお父さんやお母さんが怪しむから、もう一階におろせないと……」

――だから、きみが火傷をさせたのは十九日の朝。顔をはれあがらせたのはそれよりさらに前、ということか。

「そうです」

トイレに行かせるわけにいかなくなったあとは、紙パックなどで用を足させていた。

判決文は次のようにのべている。

「ドラム缶にコンクリート詰めの状態で発見された被害者の遺体の状況は、身長が一六六・二センチメートル、体重が四四・六キログラム、腹部の皮下脂肪が約一センチメートルとなっている。監禁以前の体重約五三キログラムに比べて、発見時の右体重は軽すぎること、平均的な女性の皮下脂肪の厚さに比べて三分の二程度しかなく、死亡時に高度の栄養失調状態にあったことが肯定されている。

十二月中旬ころからは、三雄の兄がパンや牛乳、卵など、自宅にあった食べ物を与えるにすぎず、同月末ごろからは一日に牛乳を0・2リットル与える程度になり、前記の体重が減少したことや、脂肪層が脆弱となったのは、長期間の監禁中に満足に食べ物を与えられなかったことや、衰弱につれ食欲が減退したことに起因するものと言え、同女は一月四日時点ですでに極端な栄養障害に陥っていたことが追認される。

被告人らの捜査・公判段階での供述等を総合すれば、十二月下旬には、同女は自分の力で階下のトイレに行くのも不自由な状態になっており、一月四日早朝、被告人らから暴行を受ける直前の同女が、それ以前に受けた度重なる強度の暴行等により、顔面は頰が鼻の高さに並び、目が判別できないほどはれあがり、脚の部分などの多数か所にできた火傷が治る暇なく化膿して異臭を放ち、ぐったり仰臥していたという状態で、一月四日の屈辱的所業を外形的には唯々諾々と受け入れ、長時間にわたる各種暴行に対する抵抗・反応もほとんどしめさなかったことに照らせば、すでに全体症状は非常に悪化しており、長時間の監禁中、孤立無援の状態に置かれていじめ抜かれたことから、正常な気力を保持できず、当日はすでにある種の精神的錯乱の徴候を呈していたとも考えられ、いずれにしろ、同日、暴行を受ける以前には、前記の極端な栄養障害とあいまって、極度の衰弱状態に陥っていたと見る」

昭和六十四年一月三日。三雄の家に、伯父伯母が年始にやってきた。その日、外出先から帰った三雄は、惨憺たるありさまとなった被害者の姿を見ながら、階下から聞こえてくる「明けましておめでとう」「今年もどうかよろしく」の声を聞いていた。すぐまた出かけ、司郎の家に行く。次郎もきて、三人でファミコンを楽しむ。四日朝早く、一夫がやってきた。

「面白くねえ。麻雀で大負けだ。おい、サウナにでも行くか」

「先輩、サウナは十時からですよ」

「そうか。じゃあそれまであいつのところに行くか。負けたのはあいつのせいだ。これから行って、いじめてやろうじゃないか」

午前七時ごろ、四人はそろって三雄の家に着く。途中、コンビニエンス・ストアに寄って、羊羹、ロウソクなどを買う。一夫がなぜロウソクを買ったのか、次郎にはすぐわかった。

最後のシーンを一夫が語る。

――まず言葉でいろいろいじめて、それから何をした？

「次郎君が三雄君に『おい、あれやれよ』と言って、小泉今日子の『なんたってアイドル』のテープをかけた。歌詞のなかの『イエ』に合わせて脇腹にパンチを……。思いきりパンチすると痛がりますよね。顔がはれ上がっているんですが『痛い』と声を出すとまたやられるから、口が変なぐあいにゆがむんです。次郎君が『先輩、この顔がいいんですね』と言って、自分も『そうか』と言ってやっていました」（次郎はこの言葉について、公判で否定した）

――かわいそうだとは思わなかったのか。

「ゆがむ顔を見て、面白いとみんなで笑っていました」

――曲が終わってからは？

「みんなで殴っていました」

——ロウソクは？

「自分の腕にたらしてみたら、あまり熱くない。それで『顔にやろう』と言って顔にロウソクをたらしました」

——そのあとは？

「おしっこを飲ませました。自分は疲れちゃって、タバコを吸っていました」

——次郎君と三雄君は何をしていた？

「あの、言ってもいいですか。被害者を真ん中に立たせて、自分から見て三雄君が右側、次郎君が左側にいて、まず次郎君の足が左肩に行って、そのとたんに三雄君の足が顔に。それを何回もやった」

——回し蹴りだね。ビニールの袋を手にはめて殴ったか。

「血が飛び出て汚いので、ビニールを手にはめて殴りました」

——倒れたりした？

「パンチがもろに入って、ステレオにぶつかって倒れて、全身を硬直させて、ブルブルとけいれんさせて……。『仮病だ、このやろう』と三雄君がすごい勢いで怒りました」

——きみは鉄棒を持ち出したね。

「自分も仮病だと思って怒って、蹴るとかでは甘いんで、もっとひどいことをやってやろうと思って（鉄球のついている）鉄棒で殴りました」

――そのあとは？

「殴り終わってから怖くなって、（ライターの）オイルを持ち出してかけました」

――どうして怖くなったのか。

「反応をしめさなくなったので、怖くなって、何がなんだかわからなくなって……。動け動けと思ってオイルをかけて火をつけた」

――それで？

「最初は動いたんですが、最後になったら動かなくなった。で、ガムテープで両足首を二周か三周縛りました」

――動かなくなった人をなぜ？

「興奮しきっちゃっていて、自分が何をやっているのかわからなくなって。無我夢中で怖くなって三雄君とかに『こいつ、死ぬんじゃないか』と言ったら『大丈夫ですよ。こいつはいつもこうなんですよ』と言いました。こんなにぐったりして、いつもこうなのかな、と……」

――そして十時近くになった。

「十時になったらサウナに行くことは、リンチの前からきまっていたので『あ、いい時間になった。サウナに行こう』と怖くて怖くて出た」

——出る前に、被害者に何か話しかけたのか。

「『大丈夫か』と聞いたら、とぎれとぎれの声で『苦しいです』と……」

——何回くらい言ったか。

「二回か、三回。いや、よくわからない。今、幻聴とかで聞こえてきたりするので、何回かわからないけど、たぶん、一回か二回は……」

　次郎の回想。

——みんなが暴行をやめたあと、きみはどうしたか。

「一番先に下に下りてしまいました。そこで、三雄君のお兄さんのバイクを見ていました。壊れていたので、自分たちで直せるかな、と」

——被害者の体のことは考えてなかったのですか。

「はい」

——サウナに行く途中？

「一夫先輩が『あいつ、死ぬんじゃないか』と何回も繰り返しました。ぼくはそんなことあるわけないと思ったし、あんまりしつこいので、先輩は……狂ったと思いました」

サウナに行ってから、生花店の事務所に戻り、ぐっすりと眠る。翌日の午後一時から二時、三雄の兄から事務所に電話がかかってきて、被害者のようすがおかしい、という。髪を洗ったり、飯を食ったりして三、四十分を過ごし、それから一夫、次郎、三雄の三人で三雄の家に行く。司郎は事務所当番として残した。

部屋のドアを叩いたが、返事がない。ベランダに回ってのぞいてみると、被害者が倒れている。「死んでるのか」「まさか」「お前、入れ」「いやだよ」「オレ、こえーよ」などと押し問答の末、一夫が部屋に入り、たばこを被害者の顔に近づけてみる。煙が動いたようだ。しかし、体を押してみると、固くなっている。十七歳の少女は死んでいた。

次郎と三雄が妙な声をあげて笑う。一夫はとっさにこう考えた、と法廷でのべた。「これでもう、自分は彼女といっしょにはなれない。自分は殺人者で、彼女は殺人者ではない。だから、いっしょにはなれない……」

死を確認してからほとんど時間を置かず、一夫が指揮して遺体の処理にかかる。一夫は、以前つとめていたタイル工事店に行き、モルタルと砂、ドラム缶など必要なものを調達した。

「お前、砂にモルタルにドラム缶じゃあ、人を殺したんか」

と店の人。

「いや、組関係の人の家の塀をぶっこわしちまったんで、その修理に……」

「じゃ、なんでドラム缶なんだ」

「(このところ聴取不可能)するんだよ」

「お前、絶対、人を殺してるよ。顔色が普通じゃねえ。ひきつり顔だぜ」

しかし、このときは露顕しなかった。

死亡現場に立ち会わなかった司郎には、一夫から話した。一夫の記憶。

「『死んだんだ。今ドラム缶に入れ、コンクリートをつめて捨てに行く』と言ったら、司郎君は笑いながら、自分たちの青春はどうのこうのとか言って……」

——どういう意味なのか。

「少年院とかに入れられて、そのなかで青春は終わっちゃう、ということを言ったんじゃないかと思います」

エピローグ

平成二年七月十九日、東京地裁の前に、傍聴券を求めて六百七人が行列を作った。少年（犯行時）四被告にかかわる「猥褻・誘拐・略取・監禁・強姦・殺人・死体遺棄・傷害・窃盗」、いわゆる「女子高校生監禁コンクリート詰め殺人」事件の判決公判の日である。

初公判が行なわれたのは、元年七月三十一日。罪態が明瞭で争点の少ない少年事件の場合、裁判所も検察・弁護側も、被告が年齢を重ねてしまうことを考慮して、できるだけ審理を急ぐ傾向があると言われる。本件も、あるいは年内に結審するのではないか、と見るむきもあったが、その後、審理日程が次々に追加され、結審は二年の春から夏へと延びに延びた。この一年間に開かれた公判は、四人の被告を一人ずつに分けての分離公判や、法廷外での証人（被害者・被告の両親など）質問（非公開）をふくめ三十回を越す。月に五回という過密スケジュールが組まれたことさえあった。

公判が始まったばかりのころ、三十枚足らずの傍聴券を求めて、百人以上の行列ができたが、審理が年を越したあたりから、新聞・雑誌・テレビなどマス・メディアをふくめ傍聴希望者の数はめっきり減った。二十人に満たない日も続き、合計十回、抽選なしで傍聴券が配られている。その間に実は、事件の背景、核心をあぶり出す重要な審理が丹念に進められていたのだが、傍聴席には空席が目立った。

そういう「世間の関心」が、二年五月二十一日、検察の論告求刑が行なわれた日、突如として再爆発し、二百人近い行列ができた。そして、判決日には六百七人。

爆発の動機ははっきりしている。十七歳の女子高校生を四十日間にわたって狭い部屋のなかに閉じ込め、凌辱・暴行のしたい放題を繰り返す。その末に死にいたらしめ、死体をカバンにつめたうえドラム缶に入れ、コンクリートを流し込んで捨てた犯人ども。論告によれば「残忍かつ極悪非道、人の仮面をかぶった鬼畜の所業」をなした奴らの首が、高々と吊るされるのをこの目で見届けたいという、しごく平均的な「社会正義」の衝動である。

論告の日、正義派たちは落胆した。リーダー格が無期懲役、サブ・リーダー格が十三年で使い走り役が五年から十年の不定期刑。

「この求刑はまちがっている」

とカメラの前で語調を強めるテレビ・レポーターもいた。同様の意見をテレビや雑誌でコメントする法律家、精神医学者もいた。

少年法の第三節「処分」には次の条文がある。

「(死刑と無期刑の緩和)

第五一条　罪を犯すとき十八歳に満たない者に対しては、死刑をもって処断すべきときは、無期刑を科し、無期刑をもって処断すべきときは、十年以上十五年以下において、懲役または禁錮を科する。

（不定期刑）

第五二条　少年に対して長期三年以上の有期の懲役または禁錮をもって処断すべきときは、その刑の範囲内において、長期と短期を定めてこれを言い渡す。但し、短期が五年を越える刑をもって処断すべきときは、短期を五年に短縮する。

前項の規定によって言い渡すべき刑については、短期は五年、長期は十年を越えることはできない」

したがって、無期に始まって「五年から十年」にいたる求刑は、少年を被告とする裁判においては「極刑」に相当する。なおかつ、人々は満足しなかった。高く吊るされるべき首を見ることができなかったからだ。

東京地方裁判所刑事第四部、四一九号法廷。一年間にわたって、まるで小学生を相手にしているように、被告に向かって柔和に語りかけ続けた裁判長が、にわかに声をはげまし、判決文の朗読を始めた。刑を言い渡されたとき、傍聴席から見える一夫の横顔、そして次郎、三雄、司郎の後ろ姿には、なんの変化も起こらなかった。

翌日の新聞はこう書いた。

「温情というより甘い判決というのが率直な感想である。（主犯の少年が）犯した罪は『この程度』と検察、裁判官が認定したことになる。（略）国民全般に法軽視、リンチ的気分がかもし出されることを懸念する。（略）これでは（被害者が）『浮かばれない』というのが庶民感覚だろう。（略）裁判は少年心理学や社会学の研究室ではない。事実を直視し、法の執行者は悪に対しもっと毅然とあってほしい」（「サンケイ」七月二十日づけ「主張」から）

判決が出る前、東京・小菅の東京拘置所を訪ねた面会人と、三雄はこんな話をしている。


——元気にしているか。体の調子、別に悪いところはないね。

「はい。大丈夫です。病気もしてません」

——運動不足になんかなっていない？

「はい。運動時間に、縄飛びとかしてますから」

——バスケットボールなんか、やりたいだろう。

「スポーツとかは、やりたいですね」

——中学校で、バスケットをあのままずっと続けていたらなあ、なんて思ったりしないか。

「ええ」

──もしかしたら、人生が変わっていたかもしれないな。ほかのことに目が行く暇もなかったろうし。

「そう思います。でも、あのころはまだ、何も考えてなかったから……。なんのためにやってるのか、わからなかったし。いろいろ考える性格じゃなかった」

──バスケット部の顧問だった先生がいたね。

「あっ、○○先生ですか」

──そうだ。

少年の顔に、ひらめくように笑みが浮かんだ。傍聴人はこの一年間、被告席と傍聴席の最前列、一メートルほどの距離をへだて、もっぱらその背中を眺めてきた。当然のことながら、少年の笑顔を見たことはない。

だが、見ることができてよかった、と胸のなかが温かくなるたぐいの笑顔ではなかった。面会人はそう言う。

──おっかなかったらしいな。

「あの先生、自分じゃバスケットやったことなかったんですよね。バレーかなんかやってて」

笑いが突然に消えた。

――本を読んでいるか。

「いろいろ読んでます。小学校のころはよく本を読んでましたが、中学校に入ってからは、まるで読んだことがなかった。この間『禅とこころ』という本を入れてもらったので、それを読み始めようとしているところです。難しいことを、わかり易く書いてあるみたいです。お母さんも、仏教の本を読んでいるそうですね」

――君のことを心配してるからさ。ありがたいことだね。

「はい。そう思います。前のぼくは、親はなんで子のことを心配するのか、そこのところがまったくわかっていなかった」

――（病院を退職した父親が、配送の仕事を始めるために）運転免許取ったよな。えらいね。

「そうですね。もうトシですからね。トシとってから免許取るの、たいへんなんでしょう」

――そうだよ。君も、いつかは父親になるんだ。

「考えてませんよ、そんなこと。ぼくは、あんなことやっちゃったんだから、父親になんかなれないと思っている。これ以上、周囲に迷惑かけちゃいけないんで……」

——なんでこんなことになってしまったんだと思うか。

「甘ったれていたんです」

——誰に？

「両親に」

——子が親に甘えるのは、当たり前なんじゃないのか。親子にかぎらず、人はみんな、そうやって支え合っているんだ。

「ぼくの場合は、限度を超えてましたから。ぼくは、表面的にしかものを考えていなかった。途中で、考えるのをやめていたんです。限度を超えているのもわからなかった」

——裁判、長かったな。法廷に出て行くのはつらかったろう。

「はい。でも、しようがないと思っていました。あんなこと、やったんですから」

——いずれは出てくることになる。どういう生活をしたいと思うか。

「普通の生活を……」

——普通が一番いいんだよ。

「そうですね。家族や親戚といっしょに暮らせたらいいだろうなあ、と」

——そのためには？

「どうすればいいか、今、考えています」

——とにかく仕事をしなけりゃいけない。どんな仕事をしたい？

「したい仕事があっても、前科があるとやらせてもらえないんでしょう」

——そんなことはないさ。

「でも、そのことがあるから、どんな仕事、なんてことはまだ考えられません」

——その日のために、今、しっかりやっておくんだね。大事なのは、これからなんだぞ。

「はい。今、漢字の勉強をやっています。漢字を少しでも多く覚えたいんです。この間、お母さんに言われました。『目的をはっきり持って勉強するんでなければ駄目だ』って」

——そうだね。

「どうなんでしょうか」

——何が？

「ぼくなんかでも、高校に行けるんでしょうか」

——行きたいのか。

「いや、そういうわけじゃないんですけど……」

――もう一度、やり直したいのか。

「いいえ、そこまでは……。この間、中学の先輩が会いにきてくれました。でも、また先輩とかとつきあったりするのはいけないいんじゃないかと思ったりして……」


法廷では、被告がしばしば泣いた。嗚咽で質問が中断されたこともある。被害者の両親がもし見る機会があったら、白々しい空涙。そして、加害者の両親にとっては「なぜもっと早く流してくれなかったのか」と生涯、恨み続けることになる涙。

リーダー格の一夫は、シンナー中毒の後遺症を理由に、質問の順番が最後に回った。第一回の質問に答えてこうのべている。激して、ときには弁護人が期待する以外のことまで語った。

――人間の命についてどう思うか。

「言葉では説明できないほど尊いものを、自分たちは動くおもちゃにして遊んでいて（オイルをかけ火をつけられて）熱がる姿を見て面白がって、痛がる姿を見て面白がって、そういう自分にむかつくというか、このまま、気が狂っちゃえばいいとか、自殺したいとか。しかし、この事件から逃げてしまうことだから、死ぬことも狂うこともできない。つらいけど、あの人が監禁されたつらさとは比較にもなりません。謝るといったって『ごめんなさい』とか『すいません』とかじゃ……」

——被害者の両親になんとお詫びするか。

「拘置所に入ってから、新聞で連続幼児誘拐殺人のニュースを読んで、あの犯人はひどく悪く言われているけど、自分たちはもっとひどいことをしたのだと思って、途中から新聞が読めなくなりました。殺すときはすぐ殺している。名古屋のアベック殺人も、一日とか二日とかで首を締めて殺しているけど、ぼくたちの場合は、四十日間、いたぶるだけいたぶって、最後に殺しちゃって、どれだけ残酷なことをやったのか……」

——自分の家族にも迷惑をかけたね。

「お母さんの兄弟とかにも縁を切られちゃって、お母さんは一人ぼっちになっちゃって、全部、自分のせいなので……。今、お母さんは面会にきても、同じことを繰り返して、気が狂ったみたいになっちゃって……」

——親も同罪だと両親は思っている。

「そんなことないです。三十歳ちょっと過ぎくらいの女の人が、子どもを連れて職場に行って生活をたてて、それで自分が悪くなってきたら、毎日のように殴り散らして。

そういうことをやっているのに、お母さんも同罪だとか、そういうのはないと思います。奴らの親も同罪だとか、死ねとか、そういう週刊誌を偶然目にして。自分がやったことは、死刑でもまだ物足りないということはもうわかっているから、自分に死ね、早く死んじゃえ、そういうことを言うのはいいけど、お父さんとかお母さんとかには育て方（が悪かった）とか、自分は昔から悪かったんだから、悪いのを更生させようと一所懸命やったのに、死ねとか、そういうことは言えないんじゃないか、と……」

——お父さんとは、以前、他人みたいだったと言ったが、今はどうだ。

「今、仕事を休んでくるのかわかりませんが、面会にきてくれるのが楽しみです。夕方になってもこないと、どうしたのかな、と心配したり。前に、病気して、今度倒れたら命の保証はないと言われたのに、今度倒れたら自分の命もわからないのに、今、一所懸命働いているから。会社にも居づらいと思う」

他の被告の弁護人が言った。

「裁判を通じて、もっとも変わったのは一夫だった。死刑を覚悟して、独房のなかで死と直面するうちに、思考や事実認識が深まったのだと思う。こんなことをしでかしていなかったら、職場でリーダーシップを発揮できるいい男になっていたかもしれないのに」

次郎は、平成二年四月二十三日、最後の被告人質問でこう語った。

——一月四日にひどい暴行をして、そのあと、みんなでサウナに行ってしまった。一人で死んで行った被害者のことをどう思うか。

「自分の無残さを直視して死んで行った。死期を待っている間、あの人がどんな……少しも考えていませんでした。自分は人間じゃないと思います。悪魔……人のことを不幸にして（言葉が続かず）」

——さっき、被害者のお父さんの言ったこと（被告を殺してやりたいという証人尋問要旨の朗読）を聞いたね。どう思う？

「……どう思うかなんて、言葉にできません（激しく泣く）」

——お母さんとの関係をどう考えていたか。

「お母さんにも裏切られていると、自分勝手に考えていました」

——お母さんが、たった一人で子供を育てているつらい立場を、わかっていたのか。

「わかっていませんでした」

——今はどう思う？

「どうして助けてあげなかったんだろうと……」

もう一人。司郎。

——最近、体の調子はどうか。

「よくないです」

——どうして？

「眠ってないんです。考えごとをして、頭を使う」

——面会の人はきているか。

「お母さんはきてくれてるかもしれないが、会っていない」

——会いたくないか。

「お母さんがくると、ぼくが考えられなくなるので、困るので。お母さんのこと、あまり好きじゃないし……」

——まだ会いたくないか。

「ずっと会いたくありません」

——友だちはきているね。うれしいか。

「いえ。かえってつらいです」


平成二年七月十九日、一時間二十五分にわたって判決文を朗読したあと、裁判長が四被告を起立させ、こう言い聞かせた。

「判決は以上のとおりです。難しい言葉などわからないところもあったかと思いますけれども、有罪の判決です。納得できない点があれば、二週間以内に東京高等裁判所にあてた控訴状をこの裁判所に出せば、さらに高裁で審理を受けることができますから、よく弁護人と相談してください。

それから、この裁判が終わってからも、今回の重い事件の問題点を、各自の大きな宿題として考え続けるよう希望します。言い渡しを終わります」

「未必の故意」による殺意を一夫一人が認めていたのに対し、他の三人はいずれも「殺意はなかった」と主張。それが大きな争点となっていたが、裁判所は「最後の暴行の後半、未必の故意による殺意が存在した」と判断した。

判決公判が終わったあと、被害者や被告、その家族とは縁もゆかりもないが、一年間にわたって裁判を傍聴してきた男が、連れに話しかけた。

「人間は、脆いものですね」

「悪業に、ですか」

「いいえ、愛情について、です。愛情を受け入れる能力、愛情を伝えるべき心が、ですよ。いよいよ、脆く、頼りなくなっていく……」

二週間後、検察側は量刑を不当として控訴した。

（完）

あとがき

少年少女にかかわる事件や問題を取材するようになったのは、もう十数年も前からのことです。昭和五十年代の初め（一九七〇年代の半ば過ぎ）ごろ、民間女子教護院の「横浜家庭学園」をたずねて園長補佐（当時）の西沢稔先生に教えを乞うたことがあります。教護院とは「不良行為をなし、またはなすおそれのある児童」（児童福祉法第四十四条）を迎え入れ、教育・保護を行なう施設です。西沢先生は昭和八年（三三年）生まれ。立教大学在学中から四分の一世紀以上を横浜家庭学園で働いてきた人で、こんな話をしてくれました。

「今の子どもたちを駄目にしたのは私たち、昭和ひとケタ生まれなのです。モノがなにもない時代に育ったために、わが子にはなんでも与えようとして子どもをスポイルした。そのうえ、明治や大正生まれとちがって、昭和ひとケタには背骨がない。子の前で親としての自信をもつことができない。これがますます子どもを駄目にしたのです」

以来、このことが胸から離れないようになりました。事件や問題が起こるたびに

「この荒涼の風景は、自分たちが作ったものだ」という実感が重くなっていくのです。自分たち自身の「時代の問題」だという切迫感ゆえに、ただの一度も他人事と考えたことはありません。

昭和五十五年（八〇年）受験生の息子が両親を殺害するという事件が起こりました。三年余をかけた裁判の末、裁判長は刑の言い渡しを終えてから、被告人にこう言い聞かせています。

「本件は、裁判所としても心の重い事件だった。被告人は将来、心の重荷を背負うだろうが、それに耐える人間になってほしい」

この事件を取材しているとき、筑波大学の稲村博助教授に話を聞きました。稲村先生は法廷で「思春期挫折症候群」という新しい心の病について証言したのですが、話の最後を次のように結びました。「登校拒否や家庭内暴力は、この十年くらいの間に出てきた現象です。これからも、次々に新しいものが出てくる。今から十年もたったら『あのころはまだよかったなあ』ということになるのでしょう」。ほぼ十年たって、今度の事件です。裁判長は判決文を読み終えたあとで、被告人に向かって言いました。「この裁判が終わってからも、今回の事件の問題点を、各自の大きな宿題として考え続けるように希望します」

本書で書いたのは、いわゆる「少年問題」ではまったくありません。すでに「人間そのものの問題」なのだ、とおのれに言い聞かせつつ、公判に通ったのですが、その最後、重くて大きな宿題が残りました。現在、少年少女と呼ばれる子どもたちの親は、昭和二十年代生まれ、団塊の世代以降に属します。昭和ひとケタが育てた子は、今、自分自身の子を生み、育てる年ごろになりました。子を駄目にした世代は、早くも六十代に入ったか、間もなく入ろうとしています。西沢先生はこうも言いました。「中学生になってしまったら、もう遅い。どうにもできない。私たちの世代がそういう子を育ててしまったのです」

どうにもできない親が死に絶えてしまえば、世の中は少しはよくなるのか。そのころ、年ごろの子をもつ親は「どうにもできない親」が育てた子になります。その子もやがて子を持つ。少年問題ではなくて人間と時代の問題だ、と考えるようになったのは、そういう空恐ろしさが胸に響いてならなかったからです。

判決が出たあとで、何人もの人から「この量刑をどう思うか」と意見を求められ、返答に窮しました。一年間にわたって裁判を傍聴しながら、その間、量刑に関してはなんの関心もなかったからです。もっぱら考えていたのは、今、われわれ人間が住む世界にどんな風景が広がっているのか、ということでした。

その末に、実は何も見えていません。人間はこれからどうなっていくのか、凡俗の身に見えるわけもありません。

愚かな親は、これから子を持つわが子にどんな言葉を伝えればいいのか。

あらゆる子は、三歳になるまでに一生分の親孝行を完成してくれるのだ。それより以後は、親が子に向かってひたすら孝行の恩を返す番となる。そう観念し、念には念をいれて子を愛せ。子への愛に、けっして手を抜くな。

情けない話ですが、それだけです。

月刊「現代」編集長、佐々木良輔氏、同編集部・上田哲之氏、仲間のルポ・ライター、西田好伸氏、著者に同行して公判の克明な記録を作ってくれた速記の小橋和子氏に心からの感謝を捧げます。みなさんのご協力、ご指導がなければ、つらい裁判に通いつめることはできなかったし、当然、本書はありませんでした。

なお、本文中の「福島鑑定」の内容は、鑑定書原文に寄らず裁判所が要約して配布した「鑑定書要旨」及び弁護人の最終弁論からの引用としました。

平成二年九月

佐瀬　稔

解　説

藤井　誠二（ノンフィクション作家）

ぼくは二十三歳だった。埼玉県三郷市と東京都足立区の境で拉致された女子高校生が殺害されていたことが発覚した一九八九年一月、ぼくはいても立ってもいられなくなり、事件が起きた東京都足立区綾瀬という街にまずは行ってみた。取材をするといっても何をどうすればいいのか右も左もわからない若造は、ただ綾瀬という街に居続けるしかなく、凄惨な事件の舞台となった家の周りなどをうろつき、横着そうに見えた少年たちに手当たり次第に声をかけていった。アパートを借りていた世田谷のはずれから綾瀬に週に一度ぐらいのペースで地下鉄で通った。彼らと喫茶店や居酒屋や路上で話し込み、ときにはいっしょに深夜に街を徘徊し、肩がぶつかったとヤクザに因縁をつけられ、小競り合いに巻き込まれたこともあった。

　彼らは事件の犯人として逮捕・起訴された四人の少年の先輩や後輩や同級生であり、それが佐瀬さんが本書で描いた四名の少年たち以外の、事件に関与して逮捕はされたが検察官送致は免れ、少年審判に付された加害少年らにぼくがつながっていく起点になる。

起訴された四名の量刑が東京高裁判決で確定したあと、ぼくは『少年の街』という本の出版にこぎつけたのだが、すでに服役にはいった四名を描くというより、一人の少女をいたぶり殺した街全体を覆っていた不良少年集団を俯瞰したような構成となった（現在は朝日文庫『17歳の殺人者』に所収）。

この事件を取材する佐瀬さんの姿は綾瀬で数度、そして東京地裁の一審公判ではほぼ毎回お見かけした。傍聴席で速記者をとなりに座らせ、少年たちの言葉に聞き入っていたのが佐瀬さんだった。ぼくは挨拶をさせていただく程度で、ゆっくりとお話をする機会はけっきょくないまま時が経ち、九八年に佐瀬さんの訃報に接した。

その翌年に出版された遺稿集『残された山靴』を手にとり、そこに収められた奥様の手記（闘病記）を一読したとき、死の直前まで、取材をしていたクライマーについて書き続けていたことを知った。その絶筆となったコラムには、常に命の危機にさらされる高峰へと登るクライマーの気概のようなことについて締めくくられている。

〈死ぬか生きるかの時に人の助けを一切頼まない…随分と恐ろしい荒涼とした場所である。それでも、なおかつごく一部の人たちはそういうところに踏み込んでいって、己の命が絶対ぎりぎりのガラスの輝きを放つのを待つ。あるいはまた、危険を避けてひたすら安楽を待ち、中年の過日の楽しみを待つのも人生。何を聞かれても前者を待

つとしか答えられない奴は、今時不器用な奴と囁かれる。」（「東京新聞」一九九八年五月二十三日夕刊）

この文章はクライマーのことを描いていることはまぎれもないのだが、絶筆のせいだろうか、ぼくには何かいろいろな示唆や含蓄がしのばせてあるように受け取れてしまい、佐瀬さんの死の覚悟なのか、人の生死や悲憤のカオスに潜り込んでいくノンフィクションの取材者の心構えなのか、などとあれこれと逡巡をした。

ちなみにこの事件を取材した先達の書き手は多く、佐瀬さんの他に黒沼克史氏、共同通信社の横川和夫記者や保坂渉記者もいた。黒沼さんとはその後、少年凶悪犯罪の被害者遺族取材を通じて頻繁に邂逅するようになるのだが、彼も五十歳をむかえる前にやはり癌で逝ってしまった。

事件から二十年以上が過ぎたわけだが、ぼくは本の出版後も検察に逆送致はされず少年院送致となった少年に連絡をふたたび取り、東京郊外のパチンコ店ではたらく彼を何度もたずねたこともあった。また、佐瀬さんの本には司郎という名で登場する少年の母親へインタビューをしたこともあった。それらは短編ノンフィクションにまとめ、さきの文庫に所収してある。当時はすでに一夫以外の三人は出所しており、司郎のアパートをたずねたときも、奥の部屋にたしかに誰かが暮らしている息づかいがあった。次郎と三雄が親と暮らす家をたずねて取材を申し込んだが、応対すら拒絶された。ぼくは加害者が自分たちが引き起こした取り返しのつかない事件のことをいまはどう考え、生きているのかを知りたかったのである。

そんなときだ、次郎が出所後に再犯をして逮捕されたというニュースが飛び込んできたのは。すでに佐瀬さんが亡くなって六年が経っていた。

〔逮捕されたのは埼玉県八潮市、コンピューター会社アルバイト、神作譲容疑者（三三）。調べによると、神作容疑者は五月十九日午前二時ごろ、東京都足立区花畑の路上で、知り合いの男性（二七）に因縁をつけ、顔や足に殴るけるなどの暴行を加えたうえ、金属バットで脅迫。車のトランクに押し込み、約四十分車を走らせた後、埼玉県三郷市内のスナックで「おれの女を知っているだろう。どこへやった」などとして約四時間監禁し、殴るけるの暴行を加え、男性に全治十日のけがを負わせた疑い。容疑を認めており、調べに対し「ちょっとやりすぎた」と話している。

神作容疑者は先月四日、竹の塚署に逮捕され、東京地検は同月二十五日、逮捕監禁致傷罪で起訴した。

女子高生コンクリート詰め殺人事件では、平成三年の東京高裁控訴審判決で主犯格の少年に懲役二十年などが言い渡され、四人の実刑が確定した。神作容疑者はサブリーダー格として犯行に加わり、懲役五～十年の不定期刑が確定、服役した後、出所していた〕（産経新聞ニュース二〇〇四年七月四日）

当時、「神作」が女子高校生監禁殺害事件の加害者の一人であることを報道するとが、少年法の精神に触れるかどうかが議論され、メディアも対応が二分した。引用した産経は積極的に報じた側である。

ぼくは次郎が未決勾留されているときに文通をしていたことがあるし、担当していた弁護士は出所直後に次郎が精神の不安定な状態だったことを心配していた。だから、この再犯には少なからずショックを受けた。「神作」はもとの名前ではなく、出所後に養子縁組をした家の姓である。

ぼくは次郎が再び起こした逮捕監禁致傷罪で起訴された刑事公判に足を運び、十四年ぶりに彼の顔を見た。先入観もあろうが、顔つきも態度もかつて自分が犯した罪を悔いて生きている人間のそれには見えなかった。

この事件を報じた新聞や週刊誌等の情報や、ぼくが公判で傍聴した事実関係を総合して要約すると、被害者の男性は見も知らぬ女性のことで、顔見知りのチンピラから絡まれた。このチンピラがかつての次郎であり、「神作」だった。被害者男性は車のトランクの中に押し込められ監禁、埼玉県三郷市のスナックに連れて行かれ、袋だたきにされた。「神作」は、「少年のとき十年もムショに入った」「綾瀬のコンクリート詰め殺人って知ってるだろ。あれだよ」「死んだことを確認するために煙草の煙を女子高校生の鼻の下に近づけても、息をしてないことがわかった」「一人殺そうが二人殺そうが同じなんだよ」と自分のほうから自慢げに話したという。

二〇一一年現在、次郎はすでにこの事件の懲役も終え社会に戻っているし、懲役二十年の判決を受けた主犯の一夫もすでに娑婆にいる。

〔事件や問題が起こるたびに「この荒涼の風景は、自分たちが作ったものだ」という実感が重くなっていくのです。自分たち自身の「時代の問題」だという切迫感ゆえに、ただの一度も他人事と考えたことはありません。〕と本書のあとがきに書いた佐瀬さんが、次郎の再犯をもし存命中に知ったらどうされただろうか。彼らがいまどこでどのような生活をしているのかは実話系雑誌やインターネットのサイト等で、時折まことしやかに書かれることがあるし、ぼくのブログに真偽不明の情報が寄せられることもごくたまにだが、ある。そのいずれも事件をハクづけにしているという聞きたくないものばかりなのだが。

〔判決が出たあとで、何人もの人から「この量刑をどう思うか」と意見を求められ、返答に窮しました。一年間にわたって裁判を傍聴しながら、その間、量刑に関してはなんの関心もなかったからです。もっぱら考えていたのは、今、われわれ人間が住む世界にどんな風景が広がっているのか、ということでした。〕

こうも佐瀬さんは書いている。一九八〇年に川崎市の住宅地で起きた二十歳の浪人生による金属バットを凶器にした両親撲殺事件を取材した佐瀬さんは、時代を経るごとに子どもや若者たちが理解不能な存在になっていき、それを醸成したのは自分たちの世代ではないのかという自責の念のような思いを募らせていったはずだ。

数こそ増加はしていないが、「荒涼」とした若者たちによる事件はときに世を震撼させる。その背景や原因はとても定型化できるものではなくなり、「ふつうの子どもたち」がとつぜんキレて、誰でもよかったから殺したかったとのたまう。それを読み解くのは、ますます困難をきわめている。

女子高校生監禁殺人事件から社会は何を教訓化したのだろうか。いまにして思えば、この事件をトリガーにしてメディアは少年法に対する批判に急速に傾き、九〇年代にはいって立て続けにおきた少年事件の被害者遺族らの声が世論や政治を動かし、少年法が五十年ぶりに三度の改正を加えられ、厳罰化の傾向は強まった。ぼくはそれはまちがっているとは思わないが、同時に改革的底上げをされねばならない非行や犯罪を防止するための多様な施策や、罪を犯した少年の更生教育プログラムや、被害者への謝罪プログラム等については残念ながら大きな前進が見られないと思う。今日の状況を佐瀬さんならどう考えるだろうか。

二〇一一年二月

草思社文庫

女子高生コンクリート詰め殺人事件

2011年 4月25日　第1刷発行
2025年 10月13日　第11刷発行

著　者　佐瀬　稔

発行者　碇　高明

発行所　株式会社 草思社

〒160-0022　東京都新宿区新宿 1-10-1
電話　03(4580)7680(編集)
　　　03(4580)7676(営業)
　　　http://www.soshisha.com/

本文印刷　株式会社 三陽社

付物印刷　日経印刷 株式会社

製本所　加藤製本 株式会社

装幀者　間村俊一

ISBN978-4-7942-1818-6　Printed in Japan